ACUPUNTURA CLÁSSICA CHINESA

Dr. Tom Sintan Wen

ACUPUNTURA CLÁSSICA CHINESA

Editora Cultrix
SÃO PAULO

Copyright © 1985 Dr. Tom Sintan Wen.

2ª edição 2009.
8ª reimpressão 2021.

Todos os direitos reservados. Nenhuma parte deste livro pode ser reproduzida ou usada de qualquer forma ou por qualquer meio, eletrônico ou mecânico, inclusive fotocópias, gravações ou sistema de armazenamento em banco de dados, sem permissão por escrito, exceto nos casos de trechos curtos citados em resenhas críticas ou artigos de revistas.

A Editora Cultrix não se responsabiliza por eventuais mudanças ocorridas nos endereços convencionais ou eletrônicos citados neste livro.

Revisão técnica: Ana Paula Serra de Araújo
Diagramação: Fama Editoração Eletrônica

CIP-BRASIL. CATALOGAÇÃO NA PUBLICAÇÃO
SINDICATO NACIONAL DOS EDITORES DE LIVROS, RJ

W492a

Wen, Tom Sintan
    Acupuntura clássica chinesa / Dr. Tom Sintan Wen. - [2. ed., 3. reimpr.] - São Paulo : Cultrix, 2014. 248 p. : il. ; 23 cm.

    ISBN 978-85-316-0002-9

    1. Acupuntura. I. Título.

14-12035
                      CDD: 615.892
                      CDU: 615.814.1

Direitos reservados
EDITORA PENSAMENTO-CULTRIX LTDA.
Rua Dr. Mário Vicente, 368 — 04270-000 — São Paulo, SP
Fone: (11) 2066-9000
E-mail: atendimento@editorapensamento.com.br
http://www.editorapensamento.com.br
Foi feito o depósito legal.

SUMÁRIO

Prefácio 7

1. Introdução 9

2. As Teorias Básicas da Medicina Chinesa 20
Teoria do Yin-Yang 20
Teoria dos cinco elementos 24
Teoria dos meridianos 28

3. Os Pontos de Diagnóstico e os Tratamentos da Medicina Chinesa .. 34
Os quatro procedimentos do diagnóstico 35
Os oito critérios para a classificação das síndromes 46
Diferencial das síndromes dos seis fatores 49

4. Meridianos Ordinários 55
Os pontos da Acupuntura 55
O meridiano do pulmão 58
O meridiano do intestino grosso 62
O meridiano do estômago 70
O meridiano do baço-pâncreas 82
O meridiano do coração 89
O meridiano do intestino delgado 93
O meridiano da bexiga 99
O meridiano dos rins 115
O meridiano do pericárdio 123
O meridiano do triplo-aquecedor 126
O meridiano da vesícula biliar 133
O meridiano do fígado 144

5. Meridianos Extraordinários 151
Du-Mai (O meridiano governador) 151
Ren-Mai (O meridiano da vasoconcepção) 158

Chong-Mai (O meridiano da vitalidade)..................................... 164
Dai-mai (O meridiano da cintura) 165
Yinchiao-Mai (O meridiano da motilidade de Yin).................. 165
Yangchiao-Mai (O meridiano da motilidade de Yang) 167
Yinwei-Mai (O meridiano regular de Yin).............................. 168
Yangwei-Mai (O meridiano regular de Yang)......................... 168

6. Pontos Extrameridianos.. 171
Nas regiões da cabeça e da nuca.. 171
Na região toracoabdominal 178
Na região dorsolombar... 181
Na região dos membros superiores 188
Na região dos membros inferiores....................................... 192

7. Pontos Onde não se Devem Aplicar Agulhas ou Moxibustão 198

8. Auriculoterapia 200
Anatomia do pavilhão auricular.. 200
Distribuição dos pontos na orelha 201
Funções dos pontos auriculares.. 206
Métodos de localização dos pontos na orelha 208
Técnica da aplicação.. 209
Observações e cuidados 210

9. Aplicações Através da Acupuntura................................... 211
Aplicação de agulhas... 211
Aplicação da moxa 217
Aplicação da ventosa 220

10. Princípios de Tratamento.. 224
Conceitos gerais 224
Princípio de seleção dos pontos 225
Métodos de combinação dos pontos 225
As experiências em tratamentos nos documentos históricos.............. 237

Prefácio

Assim que cheguei ao Brasil, observei que já existia aqui uma razoável quantidade de livros sobre Acupuntura. No entanto, faltava a essa bibliografia estudos mais profundos sobre diagnóstico e seleção de pontos de tratamento. Acreditando no real valor da Acupuntura como uma ciência e como uma técnica eficaz na terapia, resolvi desenvolver este trabalho procurando, assim, não só preencher a lacuna aqui existente como deixar algo de meu conhecimento ao país que me recebeu por oito anos.

Assim como muitos médicos da China moderna, eu poderia classificar minha formação profissional de eclética. Apesar de formado em medicina ocidental, tenho pós-graduação em medicina oriental. Durante muitos anos me dediquei à pesquisa e à prática nos campos da Neurocirurgia, Fisiatria e Acupuntura. Consequentemente, com o conhecimento e a experiência que acumulei nesses dois tipos de medicina, posso visualizar o quanto seria benéfico se houvesse entre elas uma maior aproximação e intercâmbio.

Reconheço que é difícil para a classe médica ocidental aceitar de imediato a medicina oriental. O fato de ela ter se originado num outro contexto histórico-social, de ter trilhado outra via de desenvolvimento e de basear-se em princípios e teorias difíceis de serem comprovadas pelos parâmetros da medicina ocidental vai, aparentemente, contra toda a formação do pensamento científico moderno. Digo aparentemente porque acho que um dos aspectos mais importantes da atitude do pesquisador é a abertura, o espírito isento de preconceitos, onde quer que esteja a busca pela verdade. Qualquer trabalho norteado por essa premissa só poderá ser positivo e enriquecedor.

Pessoalmente, depois de muitos anos de estudo e prática da Acupuntura, estou absolutamente convencido não só de sua eficácia, em termos de tratamento, como também do valor da teoria que lhe serve de base. Apesar de milenar, a Acupuntura é uma ciência dinâmica, viva e, por isso mesmo, aberta à pesquisa. Sua raiz primeira encontra-se no texto clássico da antiquíssima tradição chinesa. Assim, é imprescindível que todos aqueles que se interessam por essa área de conhecimento se reportem a ele, conhecendo-o, estudando-o, analisando-o e tendo-o como quadro de referência para todas as suas pesquisas.

A Acupuntura é ainda um vasto campo a ser explorado em busca de novas comprovações. Visando contribuir com algo de meu para esse processo que sei que me transcende, elaborei este manual que ofereço como instrumento de trabalho aos meus assistentes: dr. Jorge Loo Jia Dong, dr. Leonardo Su Sih Lo, dr. Eduardo Lin I Ting e dra. Ligia Lin Jia Yen. E a todos aqueles que se dedicam à Acupuntura. Aproveito também para agradecer a contribuição da sra. Elizabeth Lameirão e da srta. Nobuyo Imai.

Dr. Tom Sintan Wen

CAPÍTULO 1

Introdução

A Acupuntura é o conjunto de conhecimentos teórico-empíricos da medicina chinesa tradicional que visa à terapia e à cura das doenças por meio da aplicação de agulhas e de moxas, além de outras técnicas.

Essa ciência surgiu na China em plena Idade da Pedra, isto é, há aproximadamente 4.500 anos. No entanto, apesar de sua antiguidade, continua evoluindo. Com o moderno avanço tecnológico, outros instrumentos e técnicas como o ultrassom, as radiações infravermelhas, o raio *laser* e outros equipamentos vieram enriquecer seus recursos fisioterápicos.

As recentes pesquisas científicas muito têm contribuído para uma maior compreensão da Acupuntura. Além dos conceitos já bem conhecidos, existem mecanismos neurológicos e neuroendocrinológicos; a Acupuntura tem provado ser eficaz em relação aos sistemas alérgico e imunológico. Como já foi dito, apesar de ser uma ciência antiga, continua sendo um campo aberto à pesquisa e a novos conhecimentos. Assim, ao longo dos anos, tem havido muita inovação relacionada com seus princípios, meridianos e pontos.

Os conhecimentos da Acupuntura foram transmitidos de geração em geração. No entanto, a maior parte de sua terminologia não se enquadra dentro da nomenclatura moderna, o que restringe sua plena aceitação nos meios científicos.

As recentes pesquisas demonstram que as velhas fórmulas e princípios da Acupuntura não foram ainda superados. Desse modo, aqueles que a praticam devem compenetrar-se de sua importância, estudar profundamente seus ensinamentos e diretrizes; somente assimilando-os, poderão contribuir para a evolução dessa antiga arte de curar.

De acordo com a medicina chinesa, o tratamento por meio da Acupuntura visa à normalização dos órgãos doentes pelo suporte funcional que exerce, assim, um efeito terapêutico.

Segundo a teoria da Acupuntura, todas as estruturas do organismo se encontram originalmente em equilíbrio pela atuação das energias Yin (negativas) e Yang (positivas). Por exemplo: pelo princípio de Yin e Yang podem-se explicar os fenômenos que ocorrem nos órgãos mediante os conceitos de superficial e profundo, de excesso e deficiência, de calor e frio. Desse modo, se as energias Yin e Yang estiverem em perfeita harmonia, o organismo, certamente, estará com saúde. Por outro lado, um desequilíbrio gerará a doença. A arte da Acupuntura visa, por meio de sua técnica e procedimentos, estimular os pontos reflexos que tenham a propriedade de restabelecer o equilíbrio, alcançando-se, assim, resultados terapêuticos.

Origem e desenvolvimento da Acupuntura

Segundo o *Hwang Ti Nei Jing*, escrito há cerca de 700 anos a.C., os chineses da Idade da Pedra descobriram que o aquecimento do corpo com areia ou pedra quente aliviava as dores abdominais e articulares. Essa foi a origem da moxa.

Em várias partes da China foram encontrados Zhem Shih — agulhas de pedra — que datam da Idade da Pedra. Essas agulhas diferem das de costura e, por terem sido encontradas juntamente com outros instrumentos de cura, presume-se que a Acupuntura já era conhecida e praticada naquela época.

Não há documentos que indiquem precisamente como foi o desenvolvimento inicial da Acupuntura, mas sabe-se que, desde tempos remotos, essa era uma arte muito difundida entre os chineses.

A evolução da humanidade trouxe o aperfeiçoamento dessa técnica. No início, como vimos, as agulhas eram de pedra; hoje são de ligas de prata, de ouro ou de aço inoxidável. Paralelamente, houve também um desenvolvimento no uso da moxa, que da utilização de plantas passou para o infravermelho, o ultrassom, a corrente elétrica e o raio *laser*.

Concomitantemente, a teoria foi evoluindo do "ponto isolado" para a "teoria dos meridianos" que liga os pontos aos órgãos. E esse processo continua atualmente com a descoberta de novos pontos. Historicamente, houve também uma expansão geográfica da Acupuntura que, da China, se difundiu por todo o Oriente (por exemplo, durante a Dinastia Tang, 400 d.C., ela chegou ao Japão) e, mais recentemente, por todo o mundo.

Atualmente, com o auxílio da moderna tecnologia, estão sendo feitas muitas pesquisas sobre a função e o mecanismo de ação da Acupuntura. Os novos conhecimentos nessa área esclareceram dúvidas no campo da eletro-neurofisiologia, estimulando futuras pesquisas.

Documentos históricos

Com base nos estudos arqueológicos, é possível ter-se uma noção do desenvolvimento dessa ciência dos seus primórdios até nossa era.

I. Era do Imperador Amarelo (2704-2100 a.C.)

Pelos escritos preservados em cascos de tartaruga, chegamos à conclusão de que, nessa época, a Acupuntura não só já possuía suas bases como apresentava também um certo nível de desenvolvimento.

II. Dinastia Chia, Shang, Tsou (2100-1122 a.C.) e período Chuen Chiou Zhan Kuo (1122-221 a.C.)

a) Formulação do princípio do Yin-Yang, da teoria dos cinco elementos e dos meridianos. No *Hwang Ti Nei Jing* encontramos:
1. A descrição minuciosa dos meridianos, síndromes e tratamento das doenças.
2. O número e o nome dos pontos dos meridianos.
3. O estabelecimento da unidade padrão de medida da superfície do corpo e a localização dos pontos.
4. A descrição da modalidade e da maneira de usar os nove tipos de agulhas, sua aplicação e os métodos de tonificação e dispersão.
5. A indicação dos pontos importantes para cada tipo de doença, além dos pontos proibidos e fatais.

O *Nan Jing*, escrito por Pien Chueh, veio preencher as lacunas e deficiências do *Hwang Ti Nei Jing*. Outro livro, do qual se tem notícia, o *Tsen Jing*, foi perdido.
b) Evolução das agulhas.
c) O famoso médico Pien Chueh descreveu a ressuscitação de uma pessoa considerada já morta pela aplicação das agulhas.

III. Dinastias Chin, Han, Huei (221 a.C.-264 d.C.)

a) Tsan Kung (180 a.C.) deixou 25 relatórios médicos contendo descrições sobre o uso das agulhas no tratamento das doenças. Além disso, deu nome a vários pontos dos meridianos.
b) Final da Dinastia Han.
Chang Tsung Jing, livro que descreve o tratamento da malária pela Acupuntura, dando também uma noção da aplicação da moxa, além de citar o uso concomitante de ervas e de quimioterápicos.

c) Hua Tuo (141-203 d.C.), famoso cirurgião e acupunturista de sua época, aconselhava o uso de poucos pontos, isto é, somente dos essenciais.

d) Pei Wong descreveu a pulsologia na aplicação da Acupuntura.

IV. Dinastias Tsin e Tang (265-959 d.C.)

Difusão dos conhecimentos da Acupuntura para o exterior.

a) Início da Dinastia Tsin.

Huang Pu Yih escreveu o *Jia Yih Jing* que, por ter firmado as bases da Acupuntura, equipara-se em valor ao livro de Ling Shu.

b) Início da Dinastia Tang.

Sun Su Miao escreveu *Chien Jin Fang* e *Chien Jin Yih Fang*.

c) Dinastia Tsin.

Kou Hung escreveu o *Zhou Hou Beh Jih Fang* que, além de conter descrições de vários métodos de aplicação de moxa, fala também sobre a experiência adquirida através dos tempos.

d) *Hou Chuen*.

e) *Wang Chou*.

V. Dinastia Sung (960-1279 d.C.)

O rei Sung Jen Tsung, tendo ficado gravemente doente, foi curado por meio da Acupuntura. Passou, então, a dar-lhe grande importância. Ordenou a Wang Wei Yi, um médico famoso, que organizasse os escritos sobre esse assunto, avaliando seus valores, criando mapas e diagramas dos meridianos presentes no corpo humano. Também mandou confeccionar estátuas de bronze com os pontos e trajetos dos meridianos.

a) Wang Wei escreveu *Tong-Jen Shu-Xue Zhen Jiou Tu Jing*. You Sun Jen escreveu *Tong-Jeng Zhen Jiou Jing*.

b) Shi Fang Zih escreveu *Min Tang Jiou Jing*, somente sobre experiências da moxibustão. *Sun Tseng Ho Kuan Shu*, *Shen Zih Tsung Lu* e *Zhen Jiou Men* explicam os tratamentos de Acupuntura com várias técnicas para diversas doenças.

c) Wang Zhi Zhong escreveu *Zhen Jiou Tsi Shen Jing*, um livro muito prático.

d) Sih Nien escreveu *Pei Ji Jiou Fa*, que trata da utilização da moxa nas doenças agudas e de emergência.

e) Sung Tou Chai escreveu o *Pien Chue Chin Shu*, que reforça a utilidade e os efeitos da moxibustão.

VI. Dinastia King e Yuan (1279-1365 d.C.)

a) Hua Shou, também chamado Hua Po Jen, escreveu o *Shi Sih Jing Fa Huei*, desenhou mapas dos meridianos e os pontos.

b) Tou Han Chiu escreveu *Zhen Jiou Jih Nan*, com poesias, explicando os mecanismos e as técnicas de Acupuntura.

c) Lo Tien Yih escreveu *Nei Shen Pao Jien*, falando sobre os fluxos dos meridianos relacionados com o tratamento das doenças.

d) Huang Kuo Ruei escreveu *Pien Chue Shen Yin Zhen Jiou Yu Lung Jing*, enfocando as experiências dos tratamentos específicos de Acupuntura.

e) Ho Juo Yu escreveu *Zhe Wu Liou Zhu Zhen Jing*, que fala sobre seleção dos pontos nas diversas horas.

f) Ma Tan Yang escreveu *Tien Hsin Shi Ar Hsue*, acentuando os efeitos dos doze pontos mais importantes.

VII. Dinastia Ming (1366-1644 d.C.)

a) Lee Shih Jen escreveu *Chih Jing Pa Mai Kao*, notando as aplicações dos meridianos extraordinários.

b) Liu Tsuen escreveu *Yi Jing Xiao Hsue*, em forma de poemas.

c) Kao Wu escreveu *Zhen Jiou Ta Chuan*, fruto da observação de muitas experiências, em poemas.

d) Lee Tin escreveu *Yi Hsue Ju Men*, advogando o uso do menor número possível de agulhas (quatro no máximo).

e) Yang Jih Zhou escreveu *Zhen Jiou Ta Cheng*, uma compilação de todas as teorias, métodos e experiências.

VIII. Dinastia Chin (1649-1910 d.C.)

a) Os médicos do Ministério da Saúde, na época do Imperador Quen Lung, escreveram *Yi Tsung Jing Jien*, *Chin Pien Ko Tieh* e *Yang Ku Tu Ming Wei* etc., e compilaram muitas teorias e experiências; foram escritos em forma de poemas.

b) Fan Pei Lan escreveu *Tai Yih Shen Zhen*, notando os tratamentos combinados das ervas e moxibustão e selecionando pontos simples.

c) Lee Xueh Tsuan escreveu *Zhen Jiou Fung Yuan*, que é muito semelhante ao *Zhen Jiou Ta Cheng*, mas é mais bem organizado.

d) Os governantes dessa dinastia, que dominou a China por trezentos anos, baniram a prática da Acupuntura.

IX. Era atual (após 1911 d.C.)

No nosso século, a Acupuntura, dotada de caráter experimental e científico, tem atingido novos níveis de conhecimentos e técnicas além do reconhecimento mundial.

Vantagens e desvantagens da Acupuntura

A Acupuntura é uma prática que se tornou popular desde os tempos antigos na China. Sua popularidade se manteve através dos tempos devido à simplicidade de sua teoria, aplicação e aprendizagem.

Podemos citar os seguintes tópicos como sendo os mais indicativos no que se refere à qualidade da Acupuntura:

1. Inúmeras possibilidades de aplicação.

É útil em qualquer doença, não importando sua localização, oferecendo auxílio de uma maneira ou de outra para todas as faixas etárias e independentemente do sexo, podendo ainda ser facilmente associada a outras modalidades terapêuticas. Mesmo em patologias cirúrgicas, a Acupuntura pode ser usada para melhorar o estado imunológico do paciente e apressar a recuperação no período pós-operatório.

2. Diminuição do uso de medicamentos.

Atualmente, o uso de drogas está se tornando abusivo, com frequentes intoxicações, sem que se consigam resultados terapêuticos ideais. A Acupuntura regula o equilíbrio do organismo, melhorando a circulação sanguínea, aumentando a resistência corpórea e sendo capaz de mudar a constituição corporal; por isso, reduz ao mínimo a necessidade de drogas e aumenta a eficácia terapêutica. Além disso, constitui-se num tratamento mais econômico em relação ao tradicional método da alopatia.

3. Simplicidade da instrumentação necessária.

Muitos equipamentos médicos são hoje difíceis de transportar. A Acupuntura utiliza materiais simples, de fácil transporte, principalmente em algumas emergências, como o colapso, insolação ou *angina pectoris*. Num meio onde não há facilidades médicas é mais evidente sua utilidade.

4. Segurança no tratamento.

A Acupuntura é uma prática extremamente segura, exigindo apenas uma eficiente esterilização das agulhas e um bom nível técnico do terapeuta.

5. Complementa as lacunas da medicina moderna.

Apesar do constante progresso, a medicina moderna ainda não conseguiu resolver muitos dos problemas que atingem o ser humano, como, por exemplo, doenças como as espondiloses, as periartrites degenerativas, as colagenoses e outras autoimunes. Em muitas dessas patologias, a Acupuntura, isoladamente ou associada a drogas, obtém melhores resultados.

6. É método auxiliar no diagnóstico.

Muitas doenças são difíceis de diagnosticar. A sensação proveniente da aplicação das agulhas pode sugerir alterações neurológicas. A localização do processo patológico pode também ser indicada pela resposta à estimulação de determinados pontos, o que auxilia o diagnóstico.

Além do mais, se a doença é funcional, a Acupuntura, via de regra, traz melhoras evidentes, o que não ocorre se já houve lesão orgânica; nesse caso ela serve como prova terapêutica.

7. Os aspectos desfavoráveis.

Podemos citar dois aspectos básicos, que consideramos desfavoráveis à Acupuntura. Primeiro, o temor despertado pelas próprias agulhas. Por isso, muitos outros métodos de estimulação têm sido desenvolvidos na esperança de substituir as agulhas, mas infelizmente ainda não se conseguiram os mesmos efeitos que as agulhas oferecem.

Em segundo lugar, a Acupuntura exige um longo período de tratamento, de perfeição e de maestria manual do terapeuta, o que requer longos anos de aprendizado.

Conceito sobre os mecanismos da Acupuntura

O corpo humano é formado da união de células que dão origem aos tecidos ou órgãos; estes se associam entre si e colaboram para preservar as funções de locomoção, digestão, defesa, respiração etc. As conexões entre os diversos sistemas fazem-se, de modo geral, pelo sistema nervoso, cujo centro é o cérebro, que controla e regula todas as funções. Assim, o organismo responde como um todo às alterações do meio.

Por exemplo, no calor, há vasodilatação, com aumento da sudorese na tentativa de diminuir a temperatura corpórea. No frio, ocorre o contrário, com vasoconstrição e economia do calor corporal. Se o frio é excessivo, verificam-se tremores, que se destinam a gerar mais calor e a manter a homeotermia e as funções celulares normais.

Se a função do sistema nervoso é adequada, ela preserva a adaptação e a saúde do organismo. Se o organismo sofre alguma lesão, o sistema nervoso pode responder, atuando em vários níveis para contê-la. Por exemplo, se há invasão bacteriana com liberação de toxinas, o sistema nervoso, para prover meios de eliminar as bactérias e suas toxinas, reage com hipertermias, leucocitose, aumento da secreção de muco, tosse, náuseas, vômito.

Sob a direção do sistema nervoso, o organismo é capaz de prover vários mecanismos de compensação. Assim, se o coração está doente, há má circulação. O sistema nervoso provê então alterações como a dilatação das coronárias, aumentando a pressão de O_2 e a cardiomegalia. No caso dos rins, ocorre o mesmo: se um é deficiente, o outro se hipertrofia para compensar a queda da função.

Por isso, um sistema nervoso em boas condições é capaz de reagir a lesões com reações compensatórias capazes de devolver o estado de saúde ao organismo.

É claro que há outros fatores em jogo. O grau da lesão é importante. Além do mais, o sistema nervoso sofre influência do corpo como um todo. Se o corpo estiver enfraquecido, em estado depressivo, sofrendo ansiedades etc., isso se refletirá negativamente sobre o sistema nervoso.

Às vezes, as próprias reações de adaptação, quando exacerbadas, podem piorar o estado do doente. Por exemplo, na cólera, provocar a diarreia visa à eliminação dos patógenos; porém, se o processo for excessivo, poderá matar o paciente por desidratação. Ainda nas lesões articulares, se o espasmo muscular ao redor for demasiado, pode levar à isquemia e a um círculo inflamatório vicioso.

Alguns fatores externos não têm importância em si, mas, ao provocarem respostas inadequadas, podem provocar o desenvolvimento da doença. Por exemplo, em pessoas alérgicas, graves crises podem ser desencadeadas por pequenas quantidades de antígenos externos. Muitas vezes, em certas patologias, não se compreende o mecanismo de ação do sistema nervoso. Isso se deve à carência de conhecimentos que a medicina demonstra acerca da plenitude de ação das células nervosas; por isso, é comum admitir-se que as células sempre são lesadas diretamente por agentes externos (químicos ou bacterianos). Essas noções são incompletas. A doença é o fruto da interação entre os agentes agressores e a resposta do organismo, comandada pelo sistema nervoso central; às vezes, a lesão do próprio sistema nervoso e seus mecanismos de reação podem piorar a doença. Com certa frequência, quando a lesão é suficientemente profunda, não se consegue o estado de equilíbrio e o paciente morre.

A Acupuntura não está voltada diretamente para os agentes agressores externos e, por isso, seu tratamento não visa apenas tratar o local comprometido no corpo, mas age sobre todo o sistema nervoso, estimulando o mecanismo de compensação e equilíbrio em todo o corpo, para com isso sanar a doença. Há muitas doenças que se originam a partir da má absorção de vitaminas e cuja causa é o distúrbio do sistema nervoso. Nesses casos de deficiência, pode-se obter bons resultados por meio da Acupuntura, dispensando-se o uso das vitaminas. O mesmo ocorre com outras doenças endócrinas, casos em que se conseguem muito bons resultados com a Acupuntura sem o uso de hormônios exógenos.

Pesquisas recentes visam entender o mecanismo de ação da Acupuntura:

1. A Acupuntura altera a circulação sanguínea. A partir da estimulação de certos pontos, pode-se alterar a dinâmica da circulação regional proveniente de microdilatações. Outros pontos promovem o relaxamento muscular, sanando o espasmo, diminuindo a inflamação e a dor.

2. O estímulo de certos pontos promove a liberação de hormônios, como o cortisol e as endorfinas, promovendo a analgesia.

3. A Acupuntura ajuda a aumentar a resistência do hospedeiro. Quando há agressão externa, alguns sistemas orgânicos são prejudicados. Há uma regulação interna para oferecer resistência à doença. A Acupuntura exacerba esses mecanismos para que em menos tempo o equilíbrio e a saúde sejam restabelecidos. Muitas pesquisas revelam ser possível o estímulo do hipotálamo, da hipófise e de outras glândulas que atuam na recuperação.

4. A Acupuntura regula e normaliza as funções orgânicas. As diversas funções no homem são inter-relacionadas. Se há algum distúrbio alterando esse inter-relacionamento, ocorre a manifestação de sintomas e a doença se estabelece. O estímulo pela Acupuntura pode

dinamizar e restabelecer os relacionamentos anteriores e apressar a recuperação.

5. A Acupuntura promove o metabolismo. O metabolismo é fundamental na manutenção da vida. Em certas condições de doença, há alteração do metabolismo dos diversos órgãos, com consequente prostração e deficiência do organismo. A Acupuntura permite a recuperação desse metabolismo, importante no processo de cura.

Observações

Apesar de a Acupuntura produzir efeitos reais no tratamento de diversas doenças, e de seus processos terem sido esclarecidos pela pesquisa atual, ela possui características próprias que diferem, em muitos aspectos, da medicina moderna. A primeira observação a esse respeito refere-se à nomenclatura: as fórmulas e os conceitos da Acupuntura, sobre as doenças, são inteiramente diferentes dos conceitos da medicina moderna, pois resultam de uma experiência milenar. Consequentemente, muitas pessoas acreditam que a Acupuntura não satisfaz as condições exigidas pela prática científica, visto que seus processos terapêuticos não são ainda totalmente compreendidos pela ciência atual. Esse fato tornou-a vítima da incredulidade por parte de muitos profissionais que, assim, lhe negam uma atenção e pesquisa mais profundas.

Em muitas sociedades, a falta de conhecimento sobre esse assunto faz com que a Acupuntura seja exercida por leigos que escapam ao controle e incorporação dos órgãos oficiais das áreas de saúde. Por causa desse panorama, muitos médicos, por temerem ser apontados como charlatães, sentem-se constrangidos em buscar um intercâmbio de conhecimentos com os acupunturistas.

Pesquisas efetuadas recentemente, e que estudaram a atuação da neuroatividade do sistema nervoso na gênese das doenças, podem levar a uma melhor compreensão ou mesmo a certas reformulações nas bases teóricas da medicina moderna. Assim, a Acupuntura pode, no futuro, contribuir positivamente para a reestruturação de determinadas partes da medicina moderna.

A Acupuntura é hoje amplamente aplicada em muitas enfermarias e tem-se demonstrado que em muitas patologias seu efeito terapêutico supera o uso de drogas ou de outras modalidades de terapias, enquanto em outras doenças seus efeitos têm-se mostrado inferiores ao uso de drogas, à cirurgia e a outras formas de tratamento.

O princípio terapêutico consiste na escolha de um método eficaz, simples, que seja capaz de restaurar a saúde do paciente.

A escolha da modalidade terapêutica dependerá da patologia em si e das condições apresentadas pelo paciente.

Há muitos acupunturistas leigos que, por desconhecerem os métodos terapêuticos da medicina moderna, ou por serem da opinião que a Acupuntura é capaz de tratar todos os tipos de doenças, prejudicam o paciente, privando-o de receber um tratamento mais adequado e específico.

Para que se possa tratar uma doença, é preciso saber chegar ao seu diagnóstico. O esquema terapêutico deve então ser arquitetado por um profissional médico competente, que localizará o controle e os cuidados durante o período do tratamento. Por exemplo, no caso de doenças dolorosas, o tratamento implica não só o controle da dor em si, mas também a busca e a cura de sua causa.

A Acupuntura é uma arte terapêutica que deve estar entre as primeiras indicações na terapêutica de muitas patologias e deve ser exercida por médicos especializados ou pessoal médico especialmente treinado.

CAPÍTULO 2

As Teorias Básicas
da Medicina Chinesa

Teoria do Yin-Yang

Os fenômenos científicos devem ser, de início, minuciosamente observados, para que, mais tarde, seja possível desenvolver grandes teorias.

Esses processos constam comumente de cinco etapas: 1) observação; 2) análise; 3) suposição; 4) comprovação e 5) conclusão.

A Teoria Yin-Yang também passou pelo mesmo processo. Na China antiga, as primeiras observações efetuadas levaram à conclusão de que a estrutura básica do ser humano era a mesma do universo. Então, todos os fenômenos da natureza foram classificados em dois polos opostos: o Yin (negativo) e o Yang (positivo). Aqueles que apresentam como características força, calor, claridade, superfície, grandeza, dureza, peso etc. pertencem ao Yang. Ao contrário, os que apresentam características opostas às mencionadas, pertencem ao Yin.

O esquema abaixo nos dá uma ideia da visão do Yin e do Yang.

	Natureza	Corpo humano	Características das doenças
YANG	Sol, dia, céu, homem, verão, calor, sul, norte	Superfície (externa), região dorsal, porção supradiafragmática e vísceras energéticas	Agitada, forte, quente, seca, hiperfuncionante, aguda
YIN	Lua, noite, terra, mulher, inverno, frio, leste, oeste	Região profunda (interna), região central, porção infradiafragmática, cinco órgãos, sistema sanguíneo	Calma, fraca, fria, úmida, hipofuncionante, crônica

No corpo humano há órgãos de constituição mais fraca que necessitam da proteção das vértebras e das costelas. Eles são em número de cinco: coração, pulmão, rins e baço-pâncreas. Eles pertencem ao Yin e seus pontos reflexos estão localizados na região ventral do corpo. Ao contrário, as vísceras menos protegidas e de constituição mais forte como estômago, intestino delgado, intestino grosso, bexiga, vesícula biliar e útero, são de natureza Yang.

Os órgãos que apresentam hiperfuncionalidade são classificados como Yang; os que apresentam hipofuncionalidade são classificados como Yin.

As conclusões a que os antigos chineses chegaram, por meio de estudos e observações, são bastante significativas. Nos tratados da medicina chinesa a Teoria Yin-Yang já era extensamente explicada.

A Teoria Yin-Yang abrange três itens:

a) Nos estados de tranquilidade, o Yin e o Yang estarão em harmonia; nos de agitação, o Yin e o Yang estarão em desequilíbrio. O mesmo princípio aplica-se aos elementos; haverá harmonia quando apresentarem um equilíbrio entre Yin e Yang, e agitação quando houver um conflito entre Yin e Yang.

b) Em nenhuma substância observar-se-á desenvolvimento e endurecimento se houver predomínio de Yin ou Yang isoladamente.

c) Em certas circunstâncias favoráveis, o Yin poderá transformar-se em Yang e o Yang em Yin. Quando o Yin está em excesso, o Yang estará em depleção. Ao contrário, estando Yin fraco, o Yang encontrar-se-á forte.

A natureza Yin-Yang de um elemento é bastante relativa. Em certas circunstâncias, esses polos opostos podem modificar-se. Logo, sua natureza Yin-Yang também sofrerá alterações. E, como já foi dito anteriormente, em circunstâncias favoráveis, o Yang poderá tornar-se Yin e vice-versa.

Os tecidos e os órgãos do organismo humano podem ser tanto Yin como Yang, de acordo com sua localização e função. Tomando o corpo humano como um todo, a cabeça, a superfície do tronco e os quatro membros, que ficam do lado externo, são Yang, enquanto os órgãos Zang-Fu, que correspondem aos órgãos e vísceras na medicina moderna, são Yin. Analisando apenas a superfície corpórea e os quatro membros, o dorso destes é Yang; o abdômen e o peito são Yin. A parte lateral de um membro é Yang, e seu lado medial é Yin. Analisando os órgãos Zang-Fu (vísceras), com sua principal função de condução e digestão de alimentos, são Yang, ao passo que os órgãos (Zang) cuja principal função é armazenar e controlar a energia vital corpórea, são Yin. Os órgãos Zang-Fu podem ser, novamente, divididos em Yin ou Yang como, por exemplo, o Yin e o Yang dos rins, o Yin e o Yang do estômago etc. Em resumo, independentemente do seu grau de complexidade, os tecidos, estruturas e funções do organismo humano sempre poderão ser generalizados e explicados pela relação Yin-Yang.

A relação de interdependência de Yin e Yang significa que cada um deles existe na dependência da presença do outro, sendo que nenhum deles pode existir isoladamente. Não teríamos dia se não houvesse noite; não teríamos frio se não houvesse calor. Portanto, podemos concluir que Yin e Yang estão ao mesmo tempo em oposição e em interdependência.

Em atividades fisiológicas, a transformação de substâncias em função, ou vice-versa, está encerrada na teoria da interdependência da relação do Yin e do Yang. Substâncias que são Yin têm função Yang, pois a matéria-prima é a base do produto, enquanto o produto é reflexo da existência da matéria-prima. Apenas quando há substratos nutritivos amplos é que os órgãos Zang-Fu funcionarão bem. E, apenas quando temos um bom funcionamento dos órgãos Zang-Fu é que teremos o constante estímulo para a produção de substratos nutritivos. A coordenação e o equilíbrio entre a substância e a função são as garantias vitais das atividades fisiológicas.

A relação de influência e transformação entre Yin e Yang

Dentro de uma substância, os elementos Yin e Yang não são fixos, mas estão em constante mutação. A perda ou ganho de um elemento terá uma repercussão direta e complementar no outro.

Quando há um aumento no nível do Yin, comparativamente o Yang estará em depleção. Por exemplo, quando o Yin estiver num nível mais baixo, o Yang estará mais alto.

Para realizar suas atividades funcionais, o organismo tem necessidade de consumir certas substâncias nutritivas. Haverá então um gasto de Yin e um aumento de Yang.

Por outro lado, o processo de formação e armazenamento de certas substâncias nutritivas dependerá, obviamente, das atividades funcionais do organismo e de um aumento de Yin, em detrimento de Yang. Em condições normais, há um relativo equilíbrio; porém, em condições anormais, poderemos ter uma depleção ou um excesso dos elementos Yin ou Yang. Surgirão distúrbios e enfermidades no organismo. Como exemplo, citaremos a Síndrome do Frio. Nesse caso, há Yin em excesso, que consumirá o Yang, ou então a fraqueza do Yang, que induzirá um predomínio do Yin.

Na Síndrome do Calor, há um predomínio do Yang forte, que consumirá uma parte do Yin.

Nas Síndromes do Calor ou do Frio, os fatores preponderantes pertencem ao tipo Shi (excesso), enquanto os fatores com perda da resistência geral pertencem ao tipo Xie (redução); Xu (deficiência) e Shi (excesso) são dois princípios na diferenciação de síndromes. Xu (deficiência) implica baixa resistência do organismo, ou insuficiência de certos materiais. Shi (excesso) indica uma condição patológica em que a etiologia exógena é violenta, enquanto a resistência geral do organismo está apenas no mesmo nível. As Síndromes do Calor e do Frio são diferentes quanto à natureza; consequentemente, os princípios de tratamento também o serão. Assim, para as síndromes do tipo Shi (excesso), utilizaremos o método de redução (Xie), enquanto para as de tipo Xu (deficiência), aplicaremos o método de reforço (Bu).

Partindo-se do princípio de que as doenças são decorrentes do desequilíbrio entre Yin e Yang, todos os métodos de tratamento devem visar à restauração do estado de equilíbrio entre esses dois elementos.

Na Acupuntura, os pontos que se localizam no lado direito podem ser utilizados no tratamento das doenças do lado esquerdo do corpo, e vice-versa. Os pontos da porção baixa do corpo podem ser utilizados no tratamento de alguma doença na porção superior do corpo, e vice-versa. Todos esses métodos baseiam-se em conceitos de que o corpo é um todo, e o objetivo da Acupuntura é justamente o reajuste da relação Yin-Yang, promovendo assim uma melhor circulação do QI (energia) e do sangue.

Em certas circunstâncias, e em certos estágios do desenvolvimento, o Yin e o Yang de uma substância poderão transformar-se em seus opostos (em Yang e em Yin, respectivamente).

Essa intertransformação ocorrerá se houver condições favoráveis, tanto da substância em questão como do meio externo que a envolve.

A intertransformação entre Yin e Yang segue a seguinte regra, de acordo com *Nei Jing*: "Deve existir quiescência depois de uma mudança abrupta; o Yang extremo transformar-se-á em Yin." E: "A geração de um elemento é justamente a transformação; e a degeneração de um elemento é causada por transmutação." E isso é exatamente o pensamento do velho provérbio chinês: "Uma vez atingido o limite certo, a mudança para o lado oposto é inevitável." E: "A mudança quantitativa implicará uma mudança qualitativa."

A intertransformação do Yin e do Yang é uma lei universal que governa o processo de desenvolvimento e a mudança das substâncias em geral. A alteração das quatro estações do ano é um bom exemplo. A primavera começa quando o gelado inverno atinge seu auge; o frio outono chega quando o calor do verão atinge seu clímax. A mudança na natureza das doenças é um outro exemplo. Um paciente que apresenta febre alta contínua, numa doença febril aguda, pode sofrer uma repentina queda de temperatura, acompanhada de palidez, extremidades frias e pulso fraco. Essas mudanças indicam que a natureza da doença teria mudado de Yang para Yin, e o tratamento para esse paciente terá, obviamente, seu curso mudado, de acordo com a evolução da doença.

O que foi exposto acima é apenas uma pequena introdução à Teoria do Yin-Yang, com alguns exemplos para ilustrar sua aplicação na medicina chinesa tradicional.

Resumindo, as relações de interdependência, interconsumo e intertransformação de Yin e Yang podem ser sumarizadas como as leis das unidades de oposição. Além do mais, essas quatro relações entre Yin e Yang não são isoladas uma da outra, mas interconectadas, uma influenciando as outras e cada uma delas sendo a causa dos efeitos das demais.

Teoria dos cinco elementos

Originalmente, na China, designava-se os cinco elementos de Wu-Hsing, sendo que Wu significa cinco e Hsing, andar. Os cinco elementos (a Madeira, o Fogo, a Terra, o Metal e a Água) são, na realidade, os cinco elementos básicos que constituem a natureza. Existe entre eles uma interdependência e uma inter-restrição que determinam seus estados de constante movimento e mutação.

A Teoria dos Cinco Elementos ocupa um lugar importante na medicina chinesa, porque todos os fenômenos dos tecidos e dos órgãos, da fisiologia e da patologia do corpo humano, estão classificados e são interpretados pelas inter-relações desses elementos. Essa teoria é usada como guia na prática médica.

Distribuição das coisas para os cinco elementos

O organismo humano é regido pelo mesmo princípio da natureza. Assim sendo, os fatores da natureza exercem certa influência nas atividades fisiológicas do ser humano. Esse fato se manifesta não só na dependência como na adaptação do homem ao seu meio ambiente.

A medicina chinesa tradicional constatou essa realidade e, de acordo com ela, fez a correlação entre a fisiopatologia dos órgãos e tecidos e alguns fenômenos da natureza.

Observemos os seguintes esquemas:

Fig. 1 — Classificação dos cinco elementos na natureza

Cinco elementos	Direção	Estação	Fator clima	Cor	Gosto
Madeira	Leste	Primavera	Vento	Verde	Azedo
Fogo	Sul	Verão	Calor	Vermelho	Amargo
Terra	Centro	Início e fim do verão	Úmido	Amarelo	Doce
Metal	Oeste	Outono	Seco	Branco	Apimentado
Água	Norte	Inverno	Frio	Preto	Salgado

Fig. 2 — Classificação dos cinco elementos no corpo humano

Cinco elementos	Órgãos	Vísceras	Órgãos	Tecido	Emoção	Som
Madeira	Fígado	Vesícula biliar	Olhos	Tendão	Zanga	Grito
Fogo	Coração	Intestino delgado	Língua	Vascular	Alegria	Riso
Terra	Baço-pâncreas	Estômago	Boca	Músculo	Pensamento	Canto
Metal	Pulmão	Intestino grosso	Nariz	Pele e pelos	Preocupação	Choro
Água	Rins	Bexiga	Ouvidos	Osso	Medo	Gemido

As relações de geração e de inibição dos cinco elementos

A noção de geração envolve o processo de produzir, crescer e promover. Seguindo essa ordem, a Madeira gera o Fogo, o Fogo gera a Terra, a Terra gera o Metal, o Metal gera a Água e a Água gera a Madeira (Fig. 1).

Com base nos conhecimentos gerais é fácil entender que a Madeira, por sua combustão, é capaz de gerar o Fogo, assim como promover sua intensidade.

Depois da combustão da Madeira, restam as cinzas, que são incorporadas à Terra. Ao longo dos anos, a Terra, sob o efeito de grandes pressões, produz os Metais. E dos metais e rochas brotam as fontes de Água. Por outro lado, a Água dá vida aos vegetais e, ao gerar a Madeira, fecha o ciclo da natureza. A esse tipo de relacionamento, em que cada elemento gerado dá existência a outro elemento, os antigos denominavam relação Mãe-Filho. Mãe é o elemento que gera o elemento em questão, no caso Filho. Assim, a Água é Mãe da Madeira, e esta é Filha da Água.

Outro relacionamento entre os cinco elementos é o da inibição que traz implícita a ideia de combate, restrição e controle.

A ordem dessa relação é que a Madeira inibe a Terra, a Terra inibe a Água, a Água inibe o Fogo, o Fogo inibe o Metal e o Metal inibe a Madeira.

Na concepção antiga da natureza, o Metal tem a capacidade de cortar a Madeira, e, além disso, as rochas e os metais no solo podem impedir o

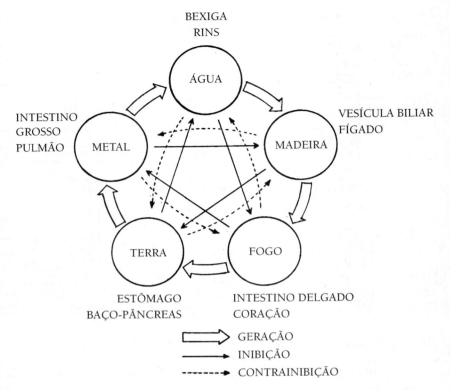

Fig. 1

crescimento da raiz das árvores (Madeira). A Madeira cresce absorvendo os nutrientes da Terra, empobrecendo-a, e as raízes das árvores, quando muito longas, perfuram e racham a Terra.

A Terra, por seu lado, impede que a Água se espalhe ao absorvê-la. Que a Água possa inibir o Fogo é muito compreensível. O Fogo inibe o Metal, pois o Metal é derretido pelo Fogo.

No relacionamento de inibição há duas facetas que apresentam também um aspecto direto e outro indireto. Por exemplo, a Madeira é inibida pelo Metal, mas ele inibe a Terra. Nesse relacionamento de inibição entre os cinco elementos ainda existe inter-relacionamento direto ou indireto entre eles. Assim, pode haver uma contrainibição, na qual o inibidor pode ser inibido.

Por exemplo, normalmente a Água é inibidora do Fogo, mas se este se apresentar intenso e a Água em pouca quantidade, haverá uma inibição da Água. Todas essas relações só se objetivarão sob certas condições. Dessa maneira, para gerar, há necessidade de que o elemento não se encontre em deficiência. Para inibir, é necessário que esteja numa boa condição energética.

Na medicina chinesa, a Teoria dos Cinco Elementos e suas inter-relações aplicam-se à fisiopatologia das doenças.

A aplicação da Teoria dos Cinco Elementos nos vários sistemas do organismo

Os órgãos do corpo humano podem ser classificados segundo os Cinco Elementos (observe a Fig. 2).

Há mais de 2.600 anos já havia descrições precisas nesse sentido no livro do imperador amarelo (figura abaixo).

O conceito de órgão, de vísceras, assim como de seus inter-relacionamentos segundo a Teoria dos Cinco Elementos, é um dado empírico da medicina chinesa.

O coração, por exemplo, é de Fogo; sua Mãe é o fígado (Madeira) e seu Filho é o baço (e pâncreas), que é de Terra. No caso de o coração estar enfraquecido, devemos fortalecê-lo ou então tonificar o fígado, sua Mãe. Se o coração está excessivamente energético, devemos diminuir a sua energia, ou a do baço-pâncreas, seu Filho. Essa classificação e conceito têm sua lógica e razão de ser mesmo em nossos dias. Sabemos que, em muitas situações,

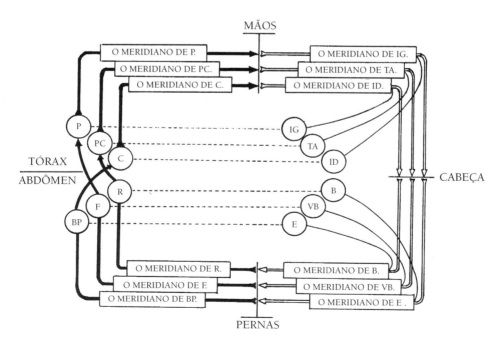

o pulmão pode ajudar a função dos rins, como no caso do controle do ácido básico do organismo.

O fígado, ao fornecer glicose, fornece também energia vital para o trabalho do miocárdio. Os órgãos adrenais atuam na conversão do glicogênio em glicose pelo fígado. Assim, é possível entender que o coração inibe o pulmão, o pulmão inibe o fígado, o fígado inibe o baço-pâncreas, porque o coração necessita de oxigênio do pulmão que, por sua vez, necessita da energia gerada pelo fígado. Nessas situações, o volume sanguíneo necessário ao fígado é fornecido, em parte, pelo baço.

Desse modo, o desequilíbrio que atinge um determinado órgão pode ter sua causa em outro órgão; da mesma maneira, uma doença pode propagar-se ou mesmo transformar-se em outro tipo de doença.

O estudo e a adoção da Teoria dos Cinco Elementos e das correlações entre as doenças podem servir como guias seguros no tratamento e controle dos efeitos e propagação de determinadas doenças para outras partes do corpo. Assim, o processo de tratamento é mais rápido e a cura mais célere.

Teoria dos meridianos

Origem

Na medicina chinesa, a mais antiga referência à Teoria dos Meridianos encontra-se no livro *Hwang Ti Nei Jing* que contém descrições precisas sobre seus princípios. No entanto, até hoje desconhece-se o modo como foi criada a Teoria dos Meridianos, sendo muito provável que a Acupuntura e as Qi-Kung (artes marciais) tenham contribuído para sua formação.

Ao estimular certos pontos de Acupuntura constata-se que a sensação de calor e parestesias seguem direções predeterminadas. Os antigos já mencionavam uma sensação de calor que percorria certas vias do corpo, durante a prática das Qi-Kung. Constatou-se também que numa doença os sintomas podem manifestar-se em outros lugares, seguindo uma via precisa de inter-relacionamento.

É possível que a Teoria dos Meridianos tenha sido formulada a partir das observações acima.

Podemos pressupor que a Teoria dos Meridianos é o fruto da experiência e da observação de muitos desde os primórdios da medicina chinesa.

Conteúdo

Há no corpo humano muitos pontos cujos efeitos à aplicação da Acupuntura são semelhantes, talvez por pertencerem a dermátomos iguais.

Ao se traçarem linhas ligando esses diversos pontos análogos, obtiveram-se linhas ou trajetórias longitudinais que foram denominadas Tin (meridianos) e trajetórias horizontais, denominadas Lo (comunicações).

A experiência clínica demonstrou que havia uma nítida relação entre os órgãos e os meridianos do corpo. Assim, traçaram-se doze meridianos ordinários; esses tinham relação direta com os órgãos e vísceras do corpo. Além deles, estabeleceram-se oito meridianos denominados extrameridianos, usados em patologias diversas.

Dos doze meridianos ordinários nascem ramos que percorrem as cavidades do tronco do corpo, denominados doze meridianos distintos. Há quinze meridianos que ligam esses doze meridianos entre si denominados Lo-Mai (meridianos conexos).

Há ainda doze meridianos denominados tendinosos e doze chamados superficiais que percorrem superficialmente o tronco e os membros.

A Teoria do Yin e do Yang diz que o Yin visa estar em equilíbrio com o Yang. Às vezes, no entanto, estabelecem-se diferenças de nível entre essas duas energias. Essa diferença de nível pode ser dividida em três Yin e três Yang.

Daí nascem os três meridianos Yang da Mão, que vão até a cabeça, e da cabeça nascem os três meridianos Yang da Perna, que descem até as extremidades dos membros inferiores.

Relação superficial-profunda dos doze meridianos ordinários

Os doze meridianos ordinários se acoplam aos pares, sendo estes formados sempre por um meridiano superficial e outro profundo.

Suas relações são:

a) Os meridianos Yin pertencem aos órgãos e seu Lo às vísceras.
   Os meridianos Yang pertencem às vísceras e seu Lo aos órgãos.
b) Existem conexões-Lo entre os meridianos superficiais.
c) Os meridianos superficiais e os profundos se conectam nas extremidades dos dedos dos membros. Os meridianos superficiais e profundos, além de apresentarem essas conexões, têm íntimas relações no tratamento das doenças, podendo ser utilizadas associadamente.

Os doze meridianos ordinários guardam as seguintes relações com os cinco elementos.

Meridianos Profundos	Cinco Elementos	Meridianos Superficiais
Pulmão ⟶	Metal ⟵	Intestino grosso
Rins ⟶	Água ⟵	Bexiga
Fígado ⟶	Madeira ⟵	Vesícula biliar
Coração ⟶	Fogo ⟵	Intestino delgado
Pericárdio ⟶	Igual ao Fogo ⟵	Triplo-aquecedor
Baço-pâncreas ⟶	Terra ⟵	Estômago

Função dos meridianos

Na época pré-científica não havia uma compreensão precisa sobre as diversas manifestações das doenças. Assim, há muitos conceitos que, à luz da ciência, se demonstraram errôneos. Consequentemente, ao estudarmos a Teoria dos Meridianos, devemos ter o cuidado de separar o que é correto e útil do que é incorreto e dispensável.

Apresentamos, abaixo, de forma sucinta, a noção que os antigos tinham da função dos meridianos.

a) O meridiano é responsável pela boa circulação de quatro fatores tró-fico-fisiológicos do corpo que são:
1. Qui — Energia
2. Hsue — Sangue
3. Ying — Nutrição (fator nutritivo intravascular)
4. Wei — Defesa (fator defensivo extravascular)

Quanto ao Yin, há o Tain-Yin (Yin maior), o Jue-Yin (Yin de transferên-cia) e o Shao-Yin (Yin menor).

Quanto ao Yang, temos o Tai-Yang (Yang maior), o Shao-Yang (Yang menor) e o Yang-Ming (combinação de Yang).

Essas seis divisões do Yin e do Yang dividem os doze meridianos ordiná-rios conforme suas relações e efeitos, localizando-os também nos membros superiores e inferiores.

a) Nos membros

Três Yin da mão
a) Tai-Yin — o meridiano do pulmão
b) Jue-Yin — o meridiano do pericárdio
c) Shao-Yin — o meridiano do coração

Três Yang da mão
a) Yang-Ming — o meridiano do intestino grosso
b) Shao- Yang — o meridiano do triplo-aquecedor
c) Tai-Yang — o meridiano do intestino delgado

Três Yin da perna
a) Tai-Yin — o meridiano do baço-pâncreas
b) Jue-Yin — o meridiano do fígado
c) Shao-Yin — o meridiano dos rins

Três Yang da perna
a) Yang-Ming — o meridiano do estômago
b) Shao-Yang — o meridiano da vesícula biliar
c) Tai-Yang — o meridiano da bexiga

Distribuição dos doze meridianos

a) Nos membros

Nos membros superiores, os três meridianos que percorrem a face palmar do braço pertencem ao Yin. São eles: o do pulmão, o do pericárdio e o do coração.

Os três meridianos do Yang, o do intestino grosso, o do triplo-aquecedor e o do intestino delgado percorrem a face dorsal (externa) do braço.

Nos membros inferiores, os meridianos Yin, o do baço-pâncreas, o do fígado e o dos rins percorrem o lado medial dos ossos fêmur e tíbia. Os três meridianos do Yang, o do estômago, o da vesícula biliar e o da bexiga, distribuem-se pela borda lateral e dorsal da perna.

Observe o gráfico da página seguinte:

Nos membros superiores

Lado palmar			Lado dorsal
— o meridiano do pulmão	Tai-Yin	Yang-Ming	— o meridiano do intestino grosso
— o meridiano do pericárdio	Jue-Yin	Shao-Yang	— o meridiano do triplo-aquecedor
— o meridiano do coração	Shao-Yang	Tai-Yang	— o meridiano do intestino delgado

Nos membros inferiores

Lado medial			Lado lateral
— o meridiano do baço-pâncreas	Tai-Yin	Yang-Ming	— o meridiano do estômago
— o meridiano do fígado	Jue-Yin	Shao-Yang	— o meridiano da vesícula biliar
— o meridiano dos rins	Shao-Yang	Tai-Yang	— o meridiano da bexiga

b) Na cabeça

Todos os meridianos Yang chegam à cabeça. Os meridianos Yang-Ming dos pés e das mãos distribuem-se pela face. Os meridianos Shao-Yang da perna e da mão distribuem-se pelas regiões laterais da cabeça. Os meridianos Tai-Yang da mão chegam à região temporal da cabeça, ao passo que os meridianos Tai-Yang da perna chegam à região parietal.

c) No tronco

a) Os meridianos Yang-Ming e Tai-Yang distribuem-se pela parte ventral do tronco. Os meridianos Jue-Yin e Shao-Yang percorrem as áreas laterais do tronco. Os meridianos Shao-Yin distribuem-se ao lado da linha central da parte ventral do tronco. Os meridianos Tai-Yang distribuem-se pela região dorsal do tronco.

Os três meridianos Yin da perna sobem até o tronco, de onde vão até as extremidades dos membros superiores.

Esses quatro fatores fisiológicos circulam em fluxos pelos meridianos, atingindo os cinco órgãos, as seis vísceras e todas as estruturas do corpo, mantendo-o todo em harmonia.

b) Os meridianos ligam-se profunda e superficialmente, tornando-se um sistema completo e fechado.

c) Quando o organismo é agredido por algum agente externo, sua reação pode manifestar-se na forma de exacerbação ou depressão por meio do meridiano atingido. Se a agressão for passageira, o meridiano volta ao seu estado de equilíbrio. Mas se esta persiste, o desequilíbrio do meridiano permanece e pode originar nos órgãos e sistemas muitas alterações que se manifestam pelas diversas síndromes. Cada meridiano doente pode originar síndromes diferentes. E isso pode servir como orientação para o diagnóstico do médico.

d) Se os meridianos conseguem retornar ao seu estado de equilíbrio energético, espera-se que os órgãos e sistemas a ele relacionados voltem à normalidade. Por isso, estimulam-se determinados pontos que teriam a função de restaurar o equilíbrio e o fluxo energético do meridiano comprometido. Assim, na Acupuntura, o meridiano fornece orientação correta, sendo também o meio para se atingir resultados terapêuticos.

Fluxos e conexões dos meridianos

Todos os meridianos se interligam complexamente entre si. Há um fluxo ordenado entre os doze Meridianos Ordinários abaixo relacionados:

Entre os próprios meridianos há muitas conexões e junções, que originam inúmeros Meridianos de Junção. Entre estes, por sua vez, há cerca de cento e poucos meridianos mais importantes e de uso frequente na terapêutica.

CAPÍTULO 3

Os Pontos de Diagnóstico e os Tratamentos da Medicina Chinesa

Há conexões estabelecidas entre os órgãos e as vísceras, entre os tecidos superficiais e os sensoriais do corpo (olho, nariz, língua, ouvido), de modo que qualquer distúrbio naqueles originará sinais reflexos nestes. Esse processo cria, no organismo, um desequilíbrio que levará à disfunção fisiológica.

Portanto, na diagnose e no tratamento de uma doença, a medicina chinesa observa o corpo como um todo, com seus sinais e sintomas.

Na análise e classificação das doenças, levam-se em consideração os fatores etiológicos, a intensidade da reação do organismo, a localização das alterações dos sintomas, a alteração do pulso, a variação na morfologia da língua etc.

Em relação à diagnose e ao tratamento, há muitos conceitos e princípios na medicina chinesa que são semelhantes aos da medicina moderna; outros, no entanto, são muito diferentes. Abaixo citaremos alguns deles.

No que diz respeito à diagnose, há quatro procedimentos:

a) Inspecionar
b) Ouvir as queixas e sentir os odores apresentados pelo paciente
c) Questionar os dados
d) Examinar o físico e a pulsologia

Na classificação das síndromes, há oito critérios:

a) Externo (superficial) e interno (profundo)
b) Frio e calor
c) Deficiência e excesso
d) Yin (negativo) e Yang (positivo)

O diagnóstico diferencial é feito por meio de seis fatores etiológicos que são: vento, frio, calor de verão, umidade, seco e calor de fogo. Esses fatores se relacionam às sintomatologias decorrentes do desequilíbrio.

Os quatro procedimentos do diagnóstico

Inspeção

Envolve a observação do todo ou de partes específicas do corpo do paciente.

A. Quanto ao do corpo como um todo temos de observar o ânimo, a locomoção e o estado físico.

Na maioria dos casos em que o paciente apresenta olhar vivo, boa motricidade, agitação, ansiedade, alucinações, loquacidade e não gosta de usar muita roupa, a síndrome pertence ao Yang, ao calor e ao excesso de energia.

Inversamente, quando o paciente demonstra fraqueza, letargia, necessidade de se agasalhar e sente frio nas extremidades, a síndrome pertence ao Yin, ao frio e à deficiência energética.

Convencionou-se chamar de Síndrome do Vento a anomalia em que os membros apresentam espasmos, convulsões, opistótono ou paralisia.

Quando há uma deficiência no sistema sanguíneo, os membros apresentarão tremores.

B. Quanto à observação de uma parte específica do corpo, é preciso examinar a cor e o estado dos órgãos dos sentidos.

a) *Cor* — a cor do rosto é um fator importante para o diagnóstico.

Caso este se apresente brilhante, o estado de saúde do paciente será normal ou terá tendência para algum leve desequilíbrio. Ao contrário, o fato de estar escura, opaca, indica que a doença é crônica, profunda ou grave.

Se a coloração facial for azulada, trata-se geralmente da Síndrome do Vento. Se a coloração facial estiver avermelhada, isso indica na maioria das vezes a Síndrome do Calor de Fogo.

Se a cor estiver amarelada, é um sinal indicativo da Síndrome da Umidade.

Se a cor for pálida, estaremos lidando com a Síndrome da Deficiência; se for escura, com a Síndrome do Frio.

b) *Olhos* — No caso de a esclerótica se apresentar amarelada tratar-se-á, possivelmente, da Síndrome da Icterícia. Se estiver congestionada, há uma deficiência de Yin ou Síndrome do Calor de Fogo. Se o olho estiver dolorido, inchado e avermelhado, caracteriza-se a Síndrome do Calor e do Vento do meridiano do fígado.

Caso a pálpebra esteja edemaciada, estaremos lidando com a Síndrome do Edema; se houver midríase, isso indicará deficiência de energia no rim, ou então será um sinal de morte.

c) *Nariz* — Coriza leve é, geralmente, de natureza alérgica e deve-se à friagem ou ao vento.

Se a coriza for purulenta ou espessa, trata-se de problema mais profundo, relacionado com a Síndrome do Calor e do Vento. Caso esteja num estado purulento mais avançado, isso indicará deficiência de energia no pulmão.

d) *Lábios* — Se esbranquiçados, deficiência do sistema sanguíneo; se avermelhados, Síndrome do Calor e Excesso Energético; se a cor é um vermelho tênue e opaco, Síndrome do Frio e Deficiência Energética; se tendem a permanecer abertos, Síndrome de Deficiência Energética; se a tendência for permanecerem fechados, Síndrome de Excesso Energético. Caso se apresentem secos e com fissuras, isso indica um distúrbio hídrico.

e) *Dentes* — Se as gengivas sangram, trata-se da Síndrome do Calor de Fogo do estômago; se apenas doem, sem estarem vermelhas ou inchadas, é a Síndrome do Calor de Fogo do meridiano dos rins.

C. Quanto à morfologia da língua — Na medicina chinesa, o exame da língua é uma parte importante da propedêutica. A metodologia e os pontos de importância desse tipo de exame são: a língua deve ser exteriorizada de uma maneira ampla, com as bordas relaxadas, de modo a apresentar uma superfície convexa. Se o exame for feito à noite, deve-se usar um bom foco de luz.

É importante que nada possa alterar a cor da língua, como alimentos muito frios ou quentes, frutas corantes — enfim, nada que venha a influenciar essa característica.

O exame da língua envolve dois aspectos: o do órgão em si e o voltado especialmente à sua camada superficial.

a) *O corpo da língua*
Em relação a este órgão deve-se examinar: sua cor, sua morfologia e sua movimentação.

Cor

Normalmente ela é de um avermelhado tênue. Caso esteja esbranqui-çada, isso representa uma Síndrome do Frio e deficiência energética; se não apresentar a camada esbranquiçada superficial, há uma depleção do sistema sanguíneo e energético.

Se estiver muito avermelhada ou mesmo arroxeada, geralmente trata-se de uma Síndrome Interna do Calor e Excesso Energético.

Morfologia

Se tiver aspecto ressecado, tenso, duro, grosso e envelhecido, há uma Síndrome do Calor. Por outro lado, se o aspecto é fino, edematoso, mole, tratar-se-á da Síndrome do Frio e Deficiência Energética.

É importante observar se há um aspecto edematoso; em caso positivo, haverá uma Síndrome de Alergia e de Intoxicação. Dentro desse quadro, se a língua estiver levemente esbranquiçada, haverá uma Síndrome de Defi-ciência do meridiano dos rins. Se o aspecto for vermelho tênue, tratar-se-á de deficiência do meridiano do estômago e do baço-pâncreas.

É de grande importância também examinar o aspecto e a altura das pa-pilas linguais e se há linhas de separação. Caso existam tais linhas e as papi-las estiverem altas, há uma Síndrome do Calor, frequentemente associada a doenças infecciosas. A ausência ou a diminuição (em número ou tamanho) das papilas indica uma deficiência energética no meridiano dos rins ou do organismo como um todo.

Movimentação

— Se há desvios unilaterais e sinais de paralisia nervosa.

— Se apresentar tremores, indica uma deficiência do sistema sanguíneo ou de Yang.

b) *A camada superficial da língua*

Utiliza-se a análise da qualidade e coloração dessa camada como indicado-res do tipo de relação entre a doença e a capacidade de defesa do organismo do paciente.

Qualidade da camada superficial da língua

É importante observar se ela é fina ou grossa, úmida ou seca, seu grau de aderência, seu brilho ou opacidade.

— A espessura dessa camada indicará o nível de gravidade da doença. Assim, se ela for fina, estará em seu padrão normal. A doença pode estar em seu início, ou então trata-se de uma enfermidade de natureza superficial. Se a camada for grossa, a doença é grave. Frequentemente, a essa altura haverá também catarro grosso, obstipação e dispepsia, causas comuns de engrossamento dessa camada superficial.

— Quanto a ser úmida ou seca, a língua normalmente é semiúmida. Se estiver mais úmida ou lisa do que o normal, trata-se, geralmente, de uma Síndrome do Frio ou da Umidade. Por outro lado, se estiver muito seca, até com fissuras, trata-se geralmente de Síndrome do Calor (infectocontagioso) ou há algum desequilíbrio hídrico ou ainda uma grave deficiência energética no organismo.

— Quanto ao grau de aderência: quando se tem a impressão de que a língua adere firmemente, observa-se distúrbios de secreção no organismo, muitas vezes com produção exagerada de catarro e outras secreções.

— Quanto à quantidade de secreção: em condições normais sua quantidade é reduzida. A ausência completa de secreção indica problemas de deficiência do sistema de autodefesa ou então problemas gástricos. Nesse caso, a língua se apresentará avermelhada e lisa. O aumento de secreção poderá indicar um agravamento da doença, enquanto sua diminuição indicará uma recuperação gradual.

Coloração da camada superficial da língua
— Branca: as pessoas em boas condições de saúde ou com doenças sem gravidade apresentam uma fina camada de cor branca ou esbranquiçada.

— Amarelada: essa cor deve-se normalmente à Síndrome do Calor. Quanto mais amarelada, mais intensa a Síndrome do Calor, que pode chegar mesmo à Síndrome do Fogo; esta, quando muito intensa, poderá provocar a fissura e o ressecamento dessa camada da língua.

— Acinzentada: a cor acinzentada revela um estágio mais adiantado da doença. Se, além disso, a língua se apresentar úmida, haverá uma Síndrome do Frio e Deficiência Energética. Se, porém, estiver seca, haverá uma Síndrome do Calor e Excesso Energético.

— Negra, escura: demonstra que a doença se agravou. Além disso, quando a língua estiver úmida, haverá uma deficiência de Yang e um excesso de Yin, que é a Síndrome do Frio. Ao contrário, quando ela estiver seca, tratar-se-á de Yang e deficiência de Yin, caracterizando a Síndrome do Calor.

c) Relação entre as alterações na língua e as alterações dos órgãos
— Alterações na ponta da língua se correlacionam com alterações do coração e do pulmão e coração.

— A região central da língua se correlaciona com o estômago e o pâncreas.

— A base da língua se correlaciona com os rins.

— As duas bordas laterais se correlacionam com o fígado e a vesícula biliar.

Ouvir as queixas e sentir os odores apresentados pelo paciente

Sentir o cheiro que o paciente apresenta envolve o próprio processo de anamnese.

A. Ouvir as queixas vai muito além do "ouvir" propriamente dito, pois envolve ainda:

a) A percepção da voz: se a voz soar forte e enérgica, há uma Síndrome do Excesso Energético; se for fraca, desanimada, há uma Síndrome de Deficiência Energética, uma Síndrome do Frio; se for rouca, ruidosa, há uma Síndrome do Vento e da Umidade.

b) A percepção de ruído na respiração. Se esta for ruidosa é Síndrome do Calor. Se for muito fraca, é Síndrome de Deficiência Energética. Observar se a dispneia ou taquipneia são acompanhadas de voz grossa e ruidosa, pois isso indicará uma Síndrome de Excesso. Se for fraca e rápida, haverá uma Síndrome de Deficiência Energética.

c) Quanto à tosse, verificar a presença e a cor do catarro. Se estiver esbranquiçado, indicará uma Síndrome do Vento e Frio. Se houver também rouquidão, trata-se de uma Síndrome de Excesso Energético. Por outro lado, se a tosse for crônica, sem catarro e a voz rouca, tratar-se-á então de Síndrome de Deficiência Energética.

d) Quanto ao soluço, se for forte, ruidoso, haverá uma Síndrome de Excesso; se for agudo e rápido, uma Síndrome do Calor; se for crônico e fraco, uma Síndrome de Deficiência Energética.

e) Quanto ao arroto, demonstra problemas dispépticos ou hiperacidez gástrica. A ausência de acidez pode indicar um estômago com pouca mobilidade.

B. Sentir os odores inclui também:

A análise dos odores da boca do paciente, sua expectoração, a urina, o fluxo menstrual e eventuais corrimentos.

a) Mau hálito: sua presença demonstra Síndrome do Calor no estômago. Alimentos que lesam o estômago provocam acidez e mau cheiro. Problemas bucodentários também se manifestam por mau hálito.

b) Quanto à expectoração: no caso de ser fétida, indica uma infecção pulmonar e Síndrome do Calor no pulmão; se não apresentar mau cheiro e vier acompanhada de sangue, indica Síndrome Profunda e deficiência energética.

c) Quanto às fezes e urina: se apresentarem mau cheiro, revelarão alterações do organismo. No que diz respeito especificamente às fezes, se além do mau cheiro forem também malformadas, indicarão excesso de energia nos intestinos. Quando o doente apresentar sintomas de Síndrome do Frio e Deficiência Energética, suas fezes não serão malcheirosas, apesar de poderem ser malformadas. Quanto à urina, quando muito densa e fétida, indicará Síndrome do Calor e Excesso Energético.

d) Quanto ao fluxo menstrual e corrimento vaginal: se o fluxo menstrual for muito espesso e com odor forte, é sinal de Síndrome do Frio. Do mesmo modo, se o corrimento for espesso e malcheiroso, tratar-se-á de Síndrome do Calor.

Questionar dados

Na medicina chinesa, além de haver questionamento a respeito de duração, local e tipo de sintomas e sinais concomitantes, faz-se também uso dos seguintes recursos de diagnóstico:

a) Frio e calor: os sintomas de frio ou calor podem, por sua duração e características, classificar as doenças. Por exemplo, em doenças incipientes, a presença de calafrios e febre indicará distúrbios infecto-contagiosos e Síndromes superficiais. Se os sinais de frio superarem os de calor, a Síndrome será do Vento e Frio. Se os sinais de calor superarem os de frio e houver manifestação de sede, a Síndrome será do Vento e Calor. Se houver apenas sinais de calor sem sinais de frio, tratar-se-á de problemas relacionados com os órgãos e vísceras. Se acompanhados de sede, os sinais indicarão Síndrome do Calor. Se houver apenas sinais de frio, pode tratar-se de doenças incipientes ou então crônicas já com grande deficiência energética do organismo. O calor a que se refere a medicina chinesa não diz respeito, necessariamente, à febre em si mas à sede, obstipação, sensação de calor pelo corpo, urina muito amarelada, língua muito avermelhada, pulso rápido etc.

b) Suor: se, nas doenças infectocontagiosas, houver frio ou febre sem produção de suor, a doença será superficial, indicando tão-somente um excesso energético. Se houver suor, a doença será de calor interno e deficiência energética. No organismo fraco e leve a sudorese mais abundante indicará que há deficiência de Yang. Se a sudorese ocorrer durante o sono, trata-se de uma deficiência de Yin, mas frequentemente há associação das duas. Nas doenças graves, uma abundante produção de suor é um sinal perigoso, pois revela grande deficiência na defesa do organismo.

c) Aspecto das fezes: se houver obstipação associada a dor e distensão abdominal, isso indica uma Síndrome de Excesso Energético. Se houver obstipação indolor e sem distensão, tratar-se-á de uma Síndrome de Deficiência Energética. Se houver diarreia com presença de muco ou tenesmo (colites), será por Síndrome do Calor e Excesso. Se houver diarreia, porém sem sinais de muco e tenesmo, devida a alimento maldigerido, indicará Síndrome do Frio e Deficiência Energética.

d) Urina: se estiver amarelada e em pequenas quantidades, será uma Síndrome do Calor. Se for abundante e clara, indicará deficiência de Yang; caso haja polidipsia e poliúra haverá algum problema no pâncreas ou na hipófise (A.D.H.). Se houver enurese noturna (exceto em crianças), isso acontecerá por deficiência energética do meridiano dos rins.

e) Alimentos: se depois da ingestão de pequena quantidade de alimentos houver regurgitação, isso indicará a Síndrome do Frio no estômago. Se a fome persistir depois da alimentação, será indício de Síndrome do Calor. A distensão depois da refeição indica que há deficiência no estômago e no baço-pâncreas. Boca amarga indica Síndrome do Calor na vesícula biliar; boca azeda, Síndrome de Calor no fígado; boca com sensação de sal indica Síndrome do Calor nos rins; boca sem sabor ou sem gosto é Síndrome do Frio, deficiência do estômago e do intestino.

Se a boca estiver adocicada e pegajosa, tratar-se-á da Síndrome de Excesso de Calor do pâncreas. Se houver uma frequente sensação de sede acompanhada de grande vontade de ingerir líquidos gelados, a Síndrome será do Calor. Se não houver sede nem vontade de beber líquido, tratar-se-á da Síndrome do Frio. Se, apesar da sede, houver uma incapacidade de ingerir muito líquido, a Síndrome será do Calor Úmido. Caso o paciente aprecie bebidas quentes, isso indica uma Síndrome do Frio.

f) Sensação toracoabdominal: a sensação de peito frio, mais salivação intensa é sinal de Síndrome do Frio. A sensação de aperto no peito é Síndrome do Calor. A sensação de plenitude no peito com discreta dor à palpação dos hipocôndrios indica Síndrome de Excesso Energético. A sensação de plenitude no peito sem dor nos hipocôndrios refere-se à Síndrome de Deficiência Energética.

Necessidade de suspirar para aliviar a sensação de aperto no peito revela congestão (excesso) de energia. A sensação de aperto no peito acompanhada da necessidade de aspirar mais ar indica deficiência de energia. Dor abdominal com incômodo, palpitação e obstipação indicam Síndrome de Excesso e Calor. Dor abdominal que melhora com palpitação, e presença de fezes malformadas, indicam Síndrome do Frio e Deficiência Energética.

Dor abdominal, borborigmos, calor no corpo, ansiedade, fezes amareladas e diarreia indicam Síndrome do Calor, excesso dos órgãos gastrintestinais. Por outro lado, dor abdominal rebelde com frio nas extremidades do corpo e fezes malformadas, indicará Síndrome do Frio e deficiência energética.

g) Quanto à menstruação: se a cor do fluxo estiver muito viva e avermelhada, tratar-se-á de Síndrome do Calor.

Irregularidade menstrual, alterações na quantidade, acompanhada de cólicas será Síndrome de Excesso Energético.

Atrasos menstruais, fluxos de cor não muito intensa, com cólicas são indícios de Síndrome do Frio (dismenorreia). Se os fluxos adiantarem, seu volume for pequeno, e forem acompanhados de corrimento, dor nas costas e dores abdominais pós-menstruação, isso indicará Síndrome de Deficiência Energética.

Exame físico e pulsologia

O exame físico é semelhante ao que se faz na medicina moderna. No entanto, a pulsologia difere do exame físico convencional.

A. *Métodos para avaliar o pulso* — A mão do paciente deve estar com a palma virada para cima em semiextensão, em repouso, sobre a mão do examinador. O examinador usará os três dedos (indicador, médio, anular) da mão direita para palmar (examinar) o pulso (radial) da mão esquerda do paciente, e usará os mesmos três dedos da mão esquerda para examinar o pulso da mão direita do paciente. O dedo médio deve palpar a artéria radial na linha da protuberância do processo estiloide. O dedo indicador deve ser colocado distalmente ao dedo médio, apalpando a artéria no nível da prega do punho, enquanto o dedo anular sente a artéria proximalmente ao dedo médio, cerca de 1 a 2 cm acima, de modo que a distância entre o dedo indicador e o anular seja aproximadamente 1,9 polegada (1 polegada é igual à distância interfalangiana distal e medial do dedo médio do paciente). Quanto à nomenclatura, a onda do pulso palpado sob o dedo indicador é a onda Tsuen. A onda do pulso sob o dedo médio é o Quan e, sob o anular, é o Tshi (Fig. 3).

A força com que se apalpa o pulso poderá ter diferentes intensidades, isto é: leve, forte ou intermediária. Cada uma delas revelará determinados detalhes sobre o estado dos meridianos examinados, por meio das ondas de pulsação.

B. *Relação entre a posição do pulso e os diferentes meridianos do organismo* — Baseados na observação milenar da medicina chinesa, sabemos que cada pulso tomado possui características próprias e se relaciona com determinado meridiano.

Devido a divergências de opinião quanto à correlação pulso-meridiano, surgiram, ao longo dos anos, diferentes teorias sobre esse assunto. No entanto, a maioria dos especialistas em pulsologia concorda quanto às seguintes:

Tabela 1

LOCALIZAÇÃO	(PULSO)	MERIDIANO
	Tsuen	do Coração, do Pericárdio e do Intestino Delgado
Esquerdo	Quan	do Fígado e da Vesícula Biliar
	Tshi	dos Rins e da Bexiga
	Tsuen	do Pulmão e do Intestino Grosso
Direito	Quan	do Baço-pâncreas e do Estômago
	Tshi	dos Rins (Adrenal)* e Min-Men** (Resistência)

* Adrenal: corresponde ao sistema endócrino.
** Min-Men: indica a resistência do organismo.

C. *As variações e os significados do pulso* — O pulso forma-se pelo fluxo sanguíneo ejetado a cada sístole ventricular do coração. Ele se produz quando esse fluxo passa com velocidade no interior da artéria dilatando suas paredes. De acordo com velocidade, ritmo, intensidade e características ondulatórias desses fluxos sanguíneos definem-se os diferentes tipos de pulso.

São considerados pulsos regulares os que apresentam intensidade e velocidade moderada, características nem muito duras nem muito moles, e podem variar segundo a faixa etária e as alterações climáticas.

Em relação à velocidade, o pulso pode ser lento ou rápido. Quanto ao ritmo, rítmico ou arrítmico. Os pulsos rítmicos podem ainda ser regulares ou alternantes. Quanto à intensidade, fortes ou fracos. Quanto à amplitude, superficiais ou profundos. Quanto ao aspecto ondulatório, largos ou finos, duros ou moles.

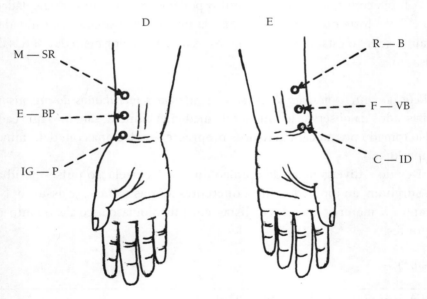

Fig. 3

Com base no que foi exposto acima, podemos destacar dezesseis tipos de pulsos:

Tabela 2

CLASSE	TIPO	ASPECTO ONDULATÓRIO	SIGNIFICADO
Superficial	Superficial	Palpando-se levemente o pulso já se evidencia com nitidez a onda, como se estivesse na pele	Doença externa, Síndrome superficial
	Largo	O pulso é cheio e forte, amplo, com início cheio, mas desaparece no fim	Excesso de Yang e muito calor
	Suave	É superficial e mole, suave e fino	Síndrome de deficiência e umidade
	Corda	Retilíneo e forte. A onda no pulso bate no dedo como uma corda de violão	Doença do fígado, hipersecreção e algias, malária
Profundo	Profundo	Não se evidencia com apalpar superficial ou moderado, mas é nítido quando se palpa mais intensa e profundamente	Síndrome profunda ou má circulação de energia
Lento	Lento	Se houver três pulsos ou menos durante um ciclo respiratório do examinador	Síndrome do Frio e Deficiência Energética
	Moderado	Em torno de quatro pulsos numa respiração; intensidade e profundidade moderadas	Normal ou Síndrome da Umidade
	Irregular	É fino, lento e curto, como se o sangue tivesse dificuldade de passar pelo local	Hipovolemia, exaustão, má circulação de energia ou congestão vascular
	Arrítmico	Há ausência ou variações de pulso sem uma ordem fixa	Excesso de Yin; má circulação de energia; distúrbios cardíacos
Rápido	Rápido	Há entre seis a sete pulsos numa respiração	Síndrome do Calor e febre
	Aquecido	Pulso rápido, porém com ausência de pulso entre um e outro	Excesso de Yang, úmido e quente, energia não circulante; dor local ou dispepsia pós-prandial
	Apertado	Pulso forte, como uma corda tensa	Síndrome do Frio e dor
Deficiência	Fraco	Palpando-se moderadamente ou com força, sente-se ausência de força no pulso	Síndrome de Deficiência de Energia e de Yang
	Fino	O pulso é fino como um fio	Síndrome de Deficiência de Yin e do sistema sanguíneo
Forte	Forte	Sente-se o pulso forte e cheio em todos os tipos de palpação	Síndrome de Excesso Energético
	Liso	O pulso é liso como se escorregasse. O fluxo também é maior	Abundância de secreção, expectoração, edema, intolerância alimentar, gravidez

Os oito critérios para a classificação das síndromes

Com base na apresentação das doenças e nos quatro princípios de diagnóstico, elaboraram-se oito critérios para a classificação das síndromes. São eles: externo-interno, frio-calor, deficiência-excesso e Yin-Yang.

Síndrome externa (superficial) e interna (profunda)

A noção de superficial ou profunda engloba a ideia da localização da doença, assim como sua gravidade.

As síndromes superficiais geralmente têm suas origens em fatores externos que atingem o organismo e se agravam à medida que se tornam mais profundos.

Embora essas síndromes se manifestem muitas vezes acompanhadas de febre e calafrios, não costumam apresentar lesões ou deficiências funcionais dos órgãos, como, por exemplo, distensão abdominal, vômitos, diarreias etc. Não é possível classificar as síndromes superficiais ou profundas baseando-se somente na sintomatologia, pois é preciso levar em conta também o estado geral do paciente.

Na síndrome profunda, por haver distúrbios dos órgãos internos com alteração de suas funções fisiológicas, os sinais e sintomas, assim como o estado geral, são mais graves.

Síndrome do frio e do calor

Sua classificação baseia-se nos sinais e sintomas da doença. O mais importante é observar a presença de sede, a característica das fezes, a temperatura do corpo ou dos membros, o estado de ânimo, a cor da face, a morfologia da língua e a pulsologia.

a) Síndrome do Frio: não há sede, nem vontade de ingerir líquidos, há hipersensibilidade ao frio, membros frios, desânimo, urina abundante e de cor clara, fezes amolecidas ou malformadas, palidez facial, camada superficial da língua lisa e esbranquiçada e pulso mais lento.

b) Síndrome do Calor: há sede, bebe-se muita água, principalmente gelada, corpo quente, irritação com o calor, agitação, ansiedade, respiração quente, urina escassa e amarelada em pequena quantidade, rubor facial, fezes ressecadas, língua amarelada e pulso rápido.

Na tabela 3 da página seguinte classificamos as Síndromes Superficial-Profunda e do Frio-Calor com base no excesso ou na deficiência de energia. Na Acupuntura, esse conceito relativo à energia tem a maior importância, pois se reflete diretamente na escolha dos meridianos para a terapia.

Síndrome de Deficiência e de Excesso

A Síndrome de Deficiência indica fraqueza do organismo e de seu sistema de defesa ou desgaste, decorrente de doença prolongada.

A Síndrome de Excesso, por sua vez, indica que há reação vigorosa do organismo no decorrer da doença. As Síndromes de Deficiência e de Excesso também indicam o tempo da doença, longa e curta, respectivamente. Por isso, é possível classificar as Síndromes de Deficiência ou Excesso energético de acordo com o tempo de duração da doença, o estado geral do corpo e o pulso forte ou fraco.

Tabela 3: Diferencial energético entre as Síndromes Superficial-Profunda e de Frio-Calor

SÍNDROME	DEFICIÊNCIA ENERGÉTICA	EXCESSO ENERGÉTICO
Síndrome Superficial	Hipersensibilidade a frio e vento, sudorese, pulso lento, superficial, fraco, superfície da língua clara	Sem sudorese, dores pelo corpo, pulso rápido, mais forte; a camada superficial da língua é mais esbranquiçada
Síndrome Profunda	Respiração fraca, sem vontade para falar, membros frios, falta de apetite, palpitação, fezes amolecidas ou malformadas, tontura, pulso fraco e profundo, fino, língua discretamente avermelhada e com camada superficial um pouco esbranquiçada	Respiração forte, confusa, suor nos membros, peito e abdômen distendidos, irritabilidade, constipação, pulso mais forte; a língua tem aspecto rígido e sua camada superficial é seca e amarelada
Síndrome do Frio	Hipersensibilidade ao frio, boca sem gosto, falta de sede, náuseas ou vômitos, dor abdominal, diarreia, membros mais frios, pulso lento; a camada superficial da língua é mais clara e esbranquiçada	Febre e frio, cefaleia, dores pelo corpo, sudorese, pulso superficial e forte; a camada superficial da língua é fina e esbranquiçada
Síndrome do Calor	Febre baixa e vespertina, boca seca, palmas das mãos e plantas dos pés quentes, sudorese noturna, aperto no coração, fezes ressecadas, obstipação, urina escassa e amarelada, língua avermelhada, com reduzida camada superficial; pulso fino, rápido e fraco	Febre alta e constante, sede, rubor facial, olhos hiperemiados, dor e distensão abdominal, dor de compressão do abdômen, confusão, coma, constipação, urina densa e escassa, pulso rápido e forte; língua avermelhada, com camada superficial mais grossa e amarelada

Síndromes de Excesso caracterizam o início da doença e seu meio, já as Síndromes de Deficiência predominam nas doenças crônicas e em seu estágio final.

As Síndromes de Deficiência podem ainda ser subdivididas em quatro categorias:

1. *Deficiência de Yin* — Se há deficiência de Yin, há excesso de Yang; podemos citar aqui a Síndrome do Calor e, por isso, essa Síndrome é muitas vezes chamada de Síndrome de Deficiência-Calor.
   Seus sinais e sintomas são: calor, rubor facial, boca seca, palmas das mãos e plantas dos pés quentes, ansiedade, sudorese, obstipação, urina amarelada e escassa. A língua se apresenta avermelhada, com uma camada superficial fina e às vezes com fissuras. O pulso é fino, rápido e fraco.
2. *Deficiência de Yang* — Indica também excesso de Yin; é a Síndrome de Deficiência-Frio. Além dos sinais de deficiência acima, há respiração fraca, pulso profundo e fino.
3. *Deficiência de Qui* (respiração ou energia) — Há uma falta de energia, dispneia aos esforços com taquipneia exercional, tontura, fraqueza até para falar (voz baixa), muito suor, maior volume de urina, prolapso anal ou do útero. A língua tem cor tênue com pouca camada superficial. O pulso é fraco.
4. *Deficiência de Hsue* (sangue) — Há tontura e visão turva, ansiedade, insônia, sudorese noturna, obstipação, palidez facial ou com coloração amarelada, sem brilho. A boca se apresenta esbranquiçada. Em mulheres, pode ocorrer oligo ou amenorreia e fluxo menstrual de cor esmaecida e de pequena quantidade. A língua tem cor tênue; o pulso é fino e fraco, ou fino e rápido; a pele ressecada, opaca e com perda de carnação.

As Síndromes de Excesso podem ser subdivididas em três categorias:

1. *Síndrome de Excesso-Calor*. Há febre, sudorese, boca seca, necessidade de ingerir líquidos, ansiedade, má concentração, distensão torácica e abdominal, obstipação, fezes ressecadas; camada superficial da língua grossa, amarelada e seca; pulso profundo e forte, ou liso e rápido.
2. *Síndrome de Excesso de Qui* (energia). Há distensão torácica, muita expectoração, esforço respiratório, distensão no epigástrio, dor abdominal, azia, regurgitação de gases, obstipação ou diarreia.
3. *Síndrome de Excesso de Hsue* (sangue). Má circulação, como em traumas, edemas, dor abdominal com incômodo à compressão.

Síndrome de Yin-Yang

A Síndrome de Yin-Yang é a que incorpora em si todas as outras classificações. Isso porque a Síndrome de Yin corresponde às Síndromes Profundas de deficiência e frio, enquanto a Síndrome de Yang compreende as Síndromes Superficiais de excesso e calor.

Por outro lado, baseados nos quatro princípios diagnósticos, também é possível dividir as Síndromes em Yin e Yang, conforme exposto na tabela 4 abaixo.

Diferencial das síndromes dos seis fatores

Há seis fatores que, em determinadas circunstâncias, podem provocar ou desencadear doenças. São eles: vento, frio, calor de verão, umidade, sequidão, calor de fogo. O princípio terapêutico entre os mais importantes na medicina chinesa classifica as síndromes de acordo com esses fatores, obtendo-se dessa maneira orientação para a seleção do tratamento.

Tabela 4 — Pontos diferenciais entre as Síndromes de Yin e Yang

PRINCÍPIOS DIAGNÓSTICOS	SÍNDROME DE YIN	SÍNDROME DE YANG
Inspeção	O corpo parece lento e pesado; recurvado; há fraqueza, preguiça, ânimo abatido; a língua tensa, com cor tênue, sua camada superficial está úmida e lisa	Há movimentação; prazer em dormir estendido; há ansiedade, inquietação; boca com fissuras, língua muito avermelhada, sua camada superficial está amarelada com fissuras ou enegrecida com formação de espéculas
Ouvir e cheirar	Voz baixa, falando pouco; respiração fraca e superficial	Loquaz, voz vibrante; respiração ruidosa, com expectoração, desconcentração
Questionar	Fezes com odor forte; alimentação reduzida; anorexia, boca sem gosto, falta de sede ou vontade de bebidas quentes; urina abundante e clara	Fezes secas, obstipação, anorexia; falta de fome, boca seca; vontade de beber; urina densa e amarelada
Exame e pulso	Dor abdominal, tendência a comprimir essa região; membros frios; pulso profundo, fino, irregular, lento e fraco	Incômodo à compressão abdominal, que piora a dor; apresenta febre e fraqueza nas pernas; pulso superficial, rápido, grosso, liso e forte

É verdade que a terapia pela acupuntura se baseia fundamentalmente na Síndrome dos Meridianos, com especial destaque para as Síndromes de Excesso de energia ou de Deficiência energética; mas as Síndromes dos Seis Fatores têm também um papel importante na orientação diagnóstica e terapêutica.

A. Síndrome do Vento

O fator vento pertence ao Yang, e se associa, frequentemente, aos fatores frio, umidade e calor de fogo, causando doenças no ser humano.

Há sete tipos de Síndrome do Vento:

1. *Friagem*. Apresenta receio ao vento; há febre, sudorese, cefaleia, coriza, espirro, obstrução nasal, tosse, rouquidão. A camada superficial da língua é fina e esbranquiçada. O pulso é superficial e lento. Isso tudo se dá porque o fator Vento invade o Meridiano do Pulmão.
2. *Vento-frio*. Também há temor ao vento; tremores, febre, cefaleia, mialgia, pouca ou nenhuma sudorese, diurese abundante. A língua tem cor tênue e sua camada superficial é fina e esbranquiçada. O pulso é superficial e um pouco tenso. Trata-se de um quadro um pouco mais grave que o anterior.
3. *Vento-calor*. É uma síndrome que se origina a partir da associação dos fatores vento e calor. As alterações do corpo são mais acentuadas. Há febre mais alta, sede, pouca cefaleia, sem haver temor ao vento; há sudorese, a urina é concentrada e amarelada. A língua se apresenta avermelhada e o pulso é superficial e rápido.
4. *Vento-fogo*. É associação também do fator vento e fogo. Difere do vento-calor pelo seguinte: há sinais de calor interior. Os sinais são de febre alta, dor e inflamação da laringe, gengivas inflamadas, hiperemia conjuntival, urina amarelada e densa, obstipação, mostrando maior reação dos órgãos e vísceras.
5. *Vento-umidade*. Deriva da associação do fator vento e umidade (vide a Síndrome da Umidade).
6. *Vento-interior*. É decorrente da deficiência no sangue e hiperfunção da energia de Yang do fígado; relaciona-se também com a deficiência energética de Yin dos rins. Causa tontura, paresias, tremores nos membros, fibrilações musculares, fraqueza e paralisia nas pernas. O pulso é do tipo corda, fino, fraco, porém rápido. Se há palpitação e palidez facial, há deficiência de sangue. Quando houver manifestação de muita sede e a urina for densa, as fezes ressecadas, haverá ex-

cesso de fogo e de calor. Se houver cefaleia acentuada, rubor facial, boca amarga, insônia, língua avermelhada, pulso fino, rápido e denso, haverá excesso de Yang no fígado. Caso haja dor lombar e nos membros inferiores, sudorese noturna, sensação de calor no rosto e o pulso Tshi for fraco, é porque há deficiência de Yin nos rins.

7. *Apoplexia*. Geralmente tem suas causas no fator vento-interior, no aumento do fator Fogo e na hipersecreção. Há paraplegia, paralisias faciais e oculares, quedas, confusão, perda de linguagem, hemiplegia, expectoração abundante, perda de consciência.

B. Síndrome do Frio

É mais grave durante o inverno e causa doenças mais complexas que podem começar exteriormente e ir, gradualmente, se interiorizando no organismo, passando do frio para o calor. Pode também associar-se a outros fatores determinando o surgimento de desequilíbrios na saúde.

Existem quatro tipos de Síndrome do Frio:

1. *Vento-frio* (vide A-B).
2. *Frio-umidade*. Muitas vezes há diarreia, e isso se deve à lesão do baço-pâncreas e do estômago pelos fatores Frio-umidade. Há dor abdominal contínua acompanhada de fezes malformadas, corpo cansado e pesado, tórax apertado, anorexia, falta de sede. A camada superficial da língua é branca, viscosa e o pulso mole e lento.
3. *Frio-externo*. Há calor interno que se associa ao frio externo. Aversão ao frio; cefaleia, febre, sede, ansiedade, rubor facial, boca seca, dor de garganta, urina amarelada e densa, obstipação.
4. *Frio-interno*. Há deficiência de energia Yang, ou seja, a resistência do organismo está debilitada. Seus sinais são: sensibilidade ao frio, membros frios, cansaço, apatia, anorexia, aumento do número de evacuações, falta de sede, pulso profundo e fraco.

C. Síndrome do Calor de Verão

É um fator Yang de calor e ocorre geralmente no verão. É causado por gasto excessivo de energia do organismo com lesão de estruturas do corpo. Frequentemente se associa aos fatores vento e umidade.

Temos três tipos de Síndrome do Calor de Verão:

1. *Desidratação*. Apatia, febre, suor, sede, tontura, náuseas, vômito, pulso fraco e rápido. Se o fator umidade estiver presente, não haverá sede, sensação de corpo pesado e pouca diurese. A superfície da língua é branca e viscosa, ou um pouco amarelada. O pulso é mole e levemente rápido.
2. *Insolação*. Desmaios, inconsciência, febre alta, sudorese, extremidades frias, rubor facial, urina escassa e densa, além de outros sinais de distúrbios circulatórios.
3. *Calor de verão*. Hipertemias associadas ao fator calor desencadeiam a Síndrome do Vento, com lesão do sistema nervoso central. Ex.: convulsões, opistótono, espasmos musculares etc., fora os demais sinais próprios da Síndrome do Calor de Verão.

D. Síndrome da Umidade

É um fator de Yin. Há umidade externa e interna. A umidade externa tem mais relação com os fatores climáticos, como a névoa e a chuva que agridem o organismo desencadeando doenças.

A umidade interna relaciona-se com a função dos rins e do baço-pâncreas. Pode associar-se aos fatores frio, calor de verão, calor de fogo e vento, para causar doenças. Cinco são os tipos de Síndrome da Umidade:

1. *Umidade externa*. Difere do resfriado e do Vento-frio, porque não apresenta sinais de distúrbios respiratórios, nem febre; sensação de distensão da cabeça, peito oprimido, artralgias, corpo pesado, anorexias, superfície da língua fina, branca e úmida. Pulso superficial e mole.
2. *Vento-umidade*. Junta-se aos fatores vento, frio e umidade, causando doenças. Há artralgias, às vezes com artrite, dores generalizadas pelo corpo ou dores migratórias. É também conhecida como Síndrome de "Pi".
3. *Umidade-calor*. Sua sintomatologia é: distensão da cabeça, opressão do peito, corpo pesado; se houver lesão no fígado ou na vesícula biliar, há icterícia; se houver lesão no estômago e nos intestinos, haverá dores abdominais e mudança do trânsito.
4. *Retenção*. Há deficiência de Yang do baço-pâncreas levando ao surgimento do fator umidade interna, com prejuízo da função do estômago e dos intestinos; congestão cardiocirculatória, distensão abdominal, anorexia, regurgitação de gases, fezes malformadas, maior número de evacuações, pouca diurese, boca úmida, falta de sede,

corpo cansado, membros inferiores às vezes edemaciados, camada superficial da língua branca e escorregadia; pulso mole e lento.

5. *Edema.* Relaciona-se com a função do coração e dos rins. Mostra-se com edema facial corpóreo, edema de extremidades ou ascite; pulso lento, duro e tenso, ou muito superficial e fino.

E. Síndrome da Sequidão

Também se divide em sequidão interna e externa.

a) *Sequidão externa.* É doença de origem externa; na maioria das vezes ocorre no outono-inverno, desencadeada pela secura do meio ambiente que rouba água do organismo.

b) *Sequidão interna.* É deficiência de fluidos fissulares, na maioria das vezes causada por febre, vômitos ou medicamentos incorretos, fumo ou alcoolismo. Seus sinais variam de acordo com a lesão de um ou outro meridiano ou órgãos. A lesão do pulmão provoca boca seca, tosse, catarro com laivos de sangue. A lesão do estômago produz sede, o que leva a ingerir muita água; isso porém não elimina a sensação de secura permanente na boca. Na lesão dos intestinos há obstipação assim como na do baço-pâncreas. Na deficiência do sangue causada por esse fator sequidão, a pele torna-se seca; há perda de turgidez, caquexia e perda da agilidade dos dedos.

F. Síndrome do Calor de Fogo

É um fator que, exacerbado, causa doenças. Divide-se em excesso e deficiência:

a) *Calor de fogo com excesso energético.* É uma síndrome de hiperfunção. Seus sintomas dependem dos órgãos acometidos. Assim, no excesso de fogo no coração, há inquietação, boca seca, sensação de sede, dor na ponta da língua, estomatite, urina amarelada, língua avermelhada, epistaxe, pulso rápido. Se o fígado for acometido, haverá cefaleia, dor nos hipocôndrios, boca amarga, zumbido, dor e hiperemia ocular, lacrimejamento, rubor facial, obstipação, diurese amarelada.

b) *Calor de fogo com deficiência energética.* Há um pouco de calor, febre baixa, palmas das mãos e plantas dos pés quentes acompanhadas de sudorese noturna, dor de garganta e de dentes, frio nos membros inferiores. O pulso é fino e rápido.

Até aqui demos uma ideia geral e fornecemos algumas particularidades das síndromes, classificando-as segundo o critério dos Seis Fatores. Assim, elas servirão de referência para a seleção dos meridianos e, consequentemente, para os diagnósticos em medicina chinesa, visto que diferem, quanto à nomenclatura e aos conceitos da nossa medicina moderna.

CAPÍTULO 4

Meridianos Ordinários

Os pontos da Acupuntura

Em Acupuntura, os pontos de aplicação são denominados Hsue, que em chinês significa "buraco".

Trata-se de pontos de depressão ou vias, por onde a agulha, principalmente ao ser aplicada, encontra baixa resistência, e geralmente se localizam entre tecidos mais rígidos, como ossos e tendões, ou ainda no meio de tecidos moles. Os pontos atualmente usados em Acupuntura são quase dois mil. Dentre estes, 670 são denominados pontos de meridianos; os demais são constituídos pelos pontos extrameridianos, pontos da orelha, pontos da cabeça, pontos do nariz, pontos das mãos, pontos dos pés etc. Alguns desses pontos deixaram de ser usados, enquanto outros passaram a sê-lo. Esse fato é uma consequência da pesquisa e deve-se à evolução dessa ciência.

A. Função dos pontos de Acupuntura

Esses pontos foram sendo descobertos no decorrer da prática milenar da medicina chinesa. Cada um deles tem seus efeitos e indicações específicas, diferentes entre si. No entanto, os pontos de um mesmo meridiano apresentam efeitos terapêuticos muito semelhantes. De acordo com seus efeitos, podemos dividir esses pontos em três categorias:

1. *Efeitos sistêmicos*. Por exemplo, Hegu (IG4) e Fuliu (R7), pois sua aplicação pode controlar a sudorese, ou ainda Dashu (B11) e Quchi (IG11), para controlar a febre.
2. *Efeitos locais*. Pontos locais para tratamento da dor, ou ainda a aplicação de pontos regionais para alívio de sintomas apresentados por algum órgão que se localiza em determinada região.

3. *Efeitos a distância.* Por exemplo, fazer uma aplicação no Zusanli (E36), localizado na perna, para tratar doenças do aparelho digestivo. Ou então Xuangzhong (VB39), na perna, para o tratamento de dores de cabeça, na zona temporal.

B. Nomenclatura dos pontos-reflexos

Na China cada nome tem um significado figurado. Assim, para simplificar o uso e o aprendizado, cada Hsue (ponto) tem um nome que, geralmente, traduz a ideia de sua localização, forma ou efeitos.

Originariamente, as designações eram só em chinês. No entanto, com o passar do tempo, países como a Coreia e o Japão traduziram essa nomenclatura para seus próprios idiomas. Visando evitar uma generalização que traria resultados negativos, adotou-se uma nomenclatura alfabética associada a uma numeração, fornecida pela Academia de Acupuntura de Pequim. Isso para facilitar a memorização por parte dos que não conhecem a língua chinesa. Por exemplo, Hegu é o quarto ponto do meridiano do intestino grosso; por isso é conhecido como IG4; Zusanli é o 36º ponto do meridiano do estômago, por isso é o E36.

C. Localização dos pontos

O resultado terapêutico na Acupuntura depende muito da precisão da aplicação. Assim, há várias maneiras de localizar com precisão os pontos. As mais utilizadas baseiam-se em:

a) Medição com base nos dedos (as polegadas do corpo) do paciente. A unidade de mensuração se baseia na distância interfalangiana média do paciente (polegada); mas esse método não é muito prático. Há outros mais eficientes (Fig.4).

b) Sistema de medição do terapeuta. Assim, em pessoas normolíneas, o comprimento que vai da articulação interfalangiana média do dedo indicador ao dedo mínimo tem mais ou menos 3 polegadas. O comprimento entre as articulações interfalangianas distais do indicador ao dedo anular tem 2 polegadas e, entre o indicador e o dedo médio, 1,5 polegada; a articulação distal do dedo polegar mede 1 polegada. Esse método não é muito preciso, podendo, no entanto, ser utilizado como um procedimento auxiliar (Fig. 5).

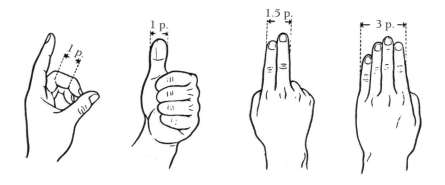

Fig. 4

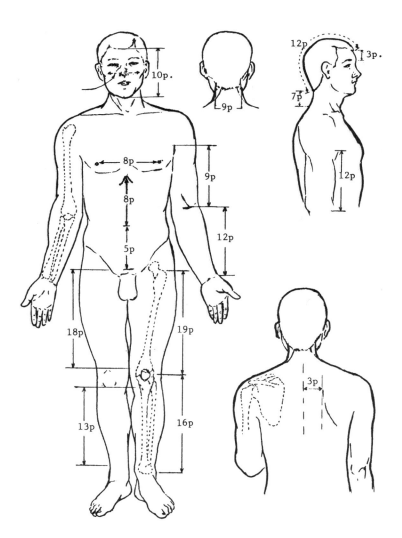

Fig. 5

c) Divisão do corpo em partes proporcionais. Assim, o antebraço, por exemplo, é dividido em doze partes (ou 12 polegadas). A distância entre os dois mamilos é dividida em oito partes (ou 8 polegadas). Esse método é simples e preciso (Fig. 4.2).

d) Estruturas anatômicas. É bastante prática e exata para localizar os pontos.

O meridiano do pulmão, Tai-Yin da mão

O meridiano do pulmão é de natureza Yin e apresenta-se acoplado ao meridiano do intestino grosso que é Yang. Recebe a energia do meridiano do fígado e a transmite ao meridiano do intestino grosso.

Em relação aos cinco elementos, pertence ao elemento Metal de Yin, sendo sua Mãe do elemento Terra (o meridiano do baço-pâncreas) e seu Filho de Água (o meridiano dos rins).

Tem onze pontos de cada lado.

I. Trajetória

Nascendo no nível do centro do abdômen, atravessa o diafragma, entra nos pulmões e alcança as axilas, onde se localiza o ponto Zhongfu. A partir desse ponto, o primeiro dos nove pontos intermediários do meridiano do pulmão desce ao longo da face radial e palmar do braço; segue pelo antebraço, para terminar no nível da unha do polegar (leito ungueal). Desse modo, o número total dos pontos desse meridiano principal dos pulmões é onze (Fig. 6).

As doenças pulmonares apresentam síndromes diferentes, que se manifestam segundo os pulmões estejam em repleção ou em depleção. Se os pulmões estiverem num estado de repleção, será necessário dispersar a energia excedente. Se estiverem depletos, será preciso tonificá-los.

II. Sintomatologia

1. Sintomas principais

A. *Respiratórios*: mal-estar torácico; dispneia; tosse com ou sem expectoração; hemoptise; dor torácica; calafrios; febre; coriza.

B. *Sintomas cutâneos*: hiperidrose; sudorese noturna; urticária; dor cutânea.

C. *Mental*: medo; depressão; claustrofobia.

D. *Membros superiores*: dor ou parestesias ao longo da área do meridiano.

2. *Sintomas de tonificação energética*: respiração ruidosa; voz alta; distensão torácica; dor dorsal alta; dor nos ombros e braços; dor cutânea; hemoptise; tosse com chiado; febre; calafrios; dor torácica; expectoração purulenta ou de odor fétido.

3. *Sintomas de pulmão em depleção energética*: taquipneia com tosse; escarro fluido; voz fraca ou baixa; chiado seco; sudorese noturna; medo; claustrofobia; depressão; parestesias profundas e mal definidas ao longo da área do meridiano.

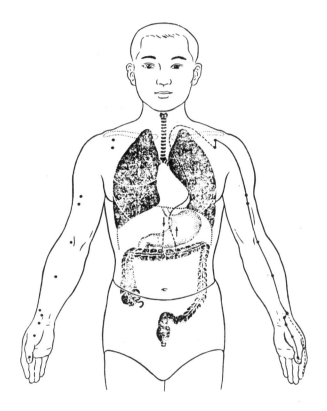

Fig. 6

III. Os pontos dos meridianos dos pulmões

1. Zhongfu (P1)
Localização: no lado anterolateral do peito, abaixo do ponto Yunmen (P2) (fossa entre a clavícula e o ombro), no espaço entre a primeira e a segunda costela, 6 polegadas do lado da linha média do corpo (Fig. 7).

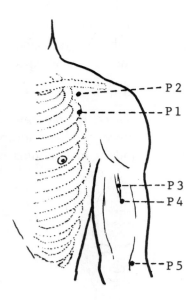

Fig. 7

Aplicação: agulhar, 0,3-0,5 polegada; moxa, 15 a 20 minutos.
Indicações: tosse; falta de ar; dispneia; asma; bronquite; dor no ombro; tuberculose; nevralgia intercostal.

2. Yunmen (P2)

Localização: no lado anterolateral do peito, na fossa triangular abaixo do encontro da clavícula e do acrômio do ombro (Fig. 7).
Aplicação: agulhar, 0,3-0,5 polegada; moxa, 15 minutos.
Indicações: tosse; asma; dor no peito e no ombro.

3. Tianfu (P3)

Localização: no lado medial do braço, 3 polegadas abaixo da linha axilar; no lado radial do músculo bíceps braquial, 6 polegadas acima do cotovelo (Fig.7).
Aplicação: agulhar, perpendicularmente, 0,5-1 polegada.
Indicações: asma; epistaxe; dor no braço.

4. Xiapai (P4)

Localização: no lado medial do braço, no lado radial do músculo bíceps braquial; 1 polegada abaixo do ponto Tianfu (P3) (Fig. 7).
Aplicação: agulhar, perpendicularmente, 0,5-0,8 polegada; moxa, 15 minutos.
Indicações: tosse; falta de ar; nevralgia intercostal; taquicardia; dor no braço.

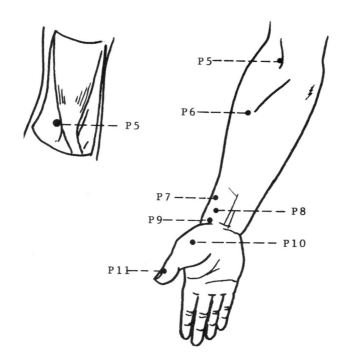

Fig. 8

5. Chize (P5): ponto Ho, pertence ao elemento Água

Localização: na linha média do cúbito do lado medial do cotovelo. Ao lado externo do tendão do músculo bíceps braquial (Fig. 7).
Aplicação: agulhar, 0,3-0,5 polegada; moxa, 10 minutos.
Indicações: tosse; bronquite; amigdalite; pneumonia; pleurite; tuberculose pulmonar; dor no ombro, braço e peito; dor no joelho.

6. Kongzui (P6): ponto Xi

Localização: no lado medial do antebraço, 7 polegadas acima do punho no lado ulnar do músculo braquiorradial e acima do músculo pronador (Fig. 8).
Aplicação: agulhar, perpendicularmente, 0,5-1 polegada; moxa, 20 minutos.
Indicações: tosse; dor de garganta; amigdalite; dor de cabeça (frontal); dor no antebraço; voz rouca; tuberculose pulmonar; hemorroidas.

7. Lieque (P7): ponto Lo

Localização: no lado medial do antebraço, 1,5 polegada acima da linha do punho entre os tendões do músculo adutor longo do polegar e do músculo extensor longo do carpo (Fig. 8).

Aplicação: agulhar, obliquamente para cima ou perpendicularmente, 0,2-0,3 polegada; evitar a artéria; moxa, 10 minutos.

Indicações: dor de cabeça (frontal); rigidez da nuca; tosse; asma; paralisia facial; dor no antebraço e mão; dor no peito.

8. Jingqu (P8): ponto Jing, pertence ao elemento Metal

Localização: no lado medial, uma polegada acima da linha do punho, no lado medial do processo estiloide do rádio, no lado da artéria (Fig. 8).

Aplicação: agulhar, 0,1-0,2 polegada; evitar a artéria.

Indicações: tosse; dor no peito; dor de garganta; dor no punho.

9. Taiyuan (P9): ponto Shu, pertence ao elemento Terra

Localização: no lado medial e radial, no fim da linha do punho, entre os tendões do músculo adutor longo do polegar, e músculo extensor longo do carpo (Fig. 8).

Aplicação: agulhar, perpendicularmente, 0,1-0,3 polegada; evitar a artéria.

Indicações: asma; tosse; tuberculose pulmonar; dor no peito e nas mamas; amigdalite; dor no braço.

10. Yuji (P10): ponto Ying, pertence ao elemento Fogo

Localização: no lado palmar, acima da articulação do primeiro metacarpo digital, entre as peles escura e clara (Fig. 8).

Aplicação: agulhar, 0,3-0,7 polegada.

Indicações: tosse; asma; hemoptise; amigdalite; faringite; voz rouca; dor no peito; dor no punho.

11. Shaoshang (P11): ponto Jin, pertence ao elemento Madeira

Localização: no lado radial da unha do polegar, 0,1 polegada acima do leito ungueal (Fig. 8).

Aplicação: agulhar, para sangrar uma a duas gotas.

Indicações: amigdalite; coma; epistaxe; palotilite; diarreia crônica infantil.

O meridiano do intestino grosso, Yang-Min do braço

Este meridiano é Yang, acoplado com o meridiano do pulmão, que é Yin. Recebe energia do meridiano do pulmão, transmitindo-a ao meridiano do estômago.

Seu elemento é o Metal de Yang, sendo sua mãe do elemento Terra (o meridiano do estômago) e seu filho de Água (o meridiano da bexiga).

Tem vinte pontos de cada lado.

I. Caminho do meridiano

O meridiano principal do intestino grosso tem seu início na ponta do dedo indicador, sendo a continuação do fluxo energético do meridiano do pulmão (de uma ligação de Lieque (P7), a Shangyang (IG1)).

O meridiano do intestino grosso sobe pelo dedo indicador dorsorradial da mão, passando pelo músculo do primeiro interossal, depois pela face dorsorradial do antebraço, entre os músculos extensores longo e curto do polegar; sobe até o dorsolateral do cotovelo, na borda lateral do cotovelo, na borda lateral do músculo bíceps e tríceps do braço chegando até o ombro.

Do ombro, o meridiano caminha pela região superescapular, liga com Du-Mai no ponto Dazhui (DM14), depois volta para a fossa supraclavicular, ligando-se ao ponto Quepen (E12) do meridiano do estômago.

Desse ponto, parte um ramal pelo espaço mediastínico que desce para o abdômen, ligando-se com o intestino grosso.

Do espaço mediastinal sai uma conexão que se liga aos pulmões.

Da fossa supraclavicular, o meridiano sobe pela borda lateral do músculo esternoclidomastóideo do pescoço até a região mandibular pelo lado da boca e caminha pelo lado oposto à asa do nariz, cruzando na altura do lábio (Fig. 9).

II. Quadros Clínicos

1. *Sintomas principais*: gengivite; odontalgia: caninos, pré-molares e molares baixos.
   A. *Boca*: faringite; amigdalite e boca seca.
   B. *Nariz*: coriza; obstrução e epistaxe.
   C. *Condições gerais*: fadiga; cansaço aparente; calafrios; tremor; bocejos frequentes; ulcerações da mucosa; febre (às vezes); sudorese (às vezes).
   D. *Face*: paralisia ou espasmo facial; acne; obstrução nasal; coriza (sinusite maxilar).
   E. *Mental*: pouca sociabilidade; aversão ao fogo; busca de isolamento, P. M.D. (psicose maníaco-depressiva).
   F. *Membros*: dor; parestesia; frieiras; adormecimento ao longo do meridiano.
   G. *Sintomas do intestino grosso*: dor abdominal; borborigmos; constipação ou *diarreia*.

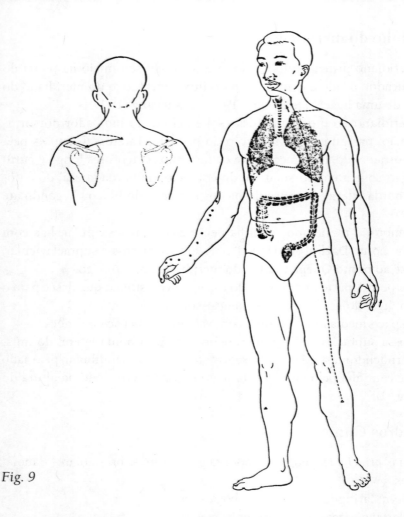

Fig. 9

2. *Sinais e sintomas de repleção energética do meridiano*: faringite, dor de garganta; febre (às vezes) e epistaxe (às vezes); boca seca ou queimação; obstrução nasal; borborigmo; dor abdominal; distenção abdominal; muco purulento nas fezes; constipação.

3. *Sintomas e sinais de depleção energética*: sensação de frio nas extremidades; aumento de peristaltismo; diarreia; prolapso do ânus, lassidão.

III. Pontos do meridiano do intestino grosso

1. Shangyang (IG1): ponto Jin, pertence ao elemento Metal
Localização: ao lado radial do dedo índex, 0,1 polegada posterior e radial no leito ungueal (Fig. 10).

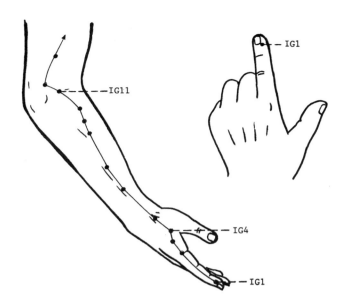

Fig. 10

Aplicação: agulhar, 0,1-0,2 polegada ou deixar sangrar uma a duas gotas.
Indicações: furunculose no rosto; amigdalite; dor de dentes; apoplexia; coma; glaucoma; dor no ombro; dedos adormecidos.

2. Erjian (IG2): ponto Ying, pertence ao elemento Água; ponto de Filho
Localização: no alto radial do dedo índex, na depressão distal da articulação metacarpofalangiana (Fig. 10).
Aplicação: agulhar, perpendicularmente, 0,1-0,3 polegada.
Indicações: epistaxe; dor de dentes; amigdalite; faringite; bursite de ombro; febre.

3. Sanjian (IG3): ponto Shu, pertence ao elemento Madeira
Localização: no lado dorsal da mão, no lado radial do segundo metacarpo, na depressão atrás da segunda articulação metacarpofalangiana (Fig. 10).
Aplicação: agulhar, perpendicularmente, 0,3-0,7 polegada.
Indicações: laringite; amigdalite; dor de dentes; trigeminalgia; dor no olho; bursite de ombro; tendinite de cotovelo; boca seca; língua amarela; falta de apetite.

4. Hegu (IG4): ponto Yuan
Localização: no lado dorsal da mão, entre o primeiro e o segundo osso metacarpo no meio do primeiro músculo interósseo dorsal; ao abrir o polegar

65

e o dedo indicador, no meio da linha entre a junção do primeiro e do segundo osso metacarpo, o ponto médio da borda da palma, ou quando fecha a mão, entre o primeiro e o segundo metacarpo, o ponto mais alto em cima do músculo interósseo (Figs. 10 e 11).

Aplicação: agulhar, perpendicularmente, 0,5-1 polegada; moxa, 10 minutos.

Indicações: dor de cabeça; dor de dentes; amigdalite; faringite; rinite; epistaxe; asma; bronquite; paralisia facial; dor no braço e ombro; gripe; hipoidrose ou hiperidrose; insônia; nervosismo; zumbido ou distúrbio do ouvido; escabiose.

5. Yangxi (IG5): ponto Jing, pertence ao elemento Fogo

Localização: no lado dorsorradial do punho, um pouco distal do osso rádio, onde há depressão entre os tendões do músculo extensor curto e longo do polegar, ao esticar e abrir o polegar (Fig. 10).

Aplicação: agulhar, perpendicularmente, 0,3-0,5 polegada; moxa, 10 minutos.

Indicações: dor de cabeça; conjuntivite; zumbido; distúrbios do ouvido; dor de garganta; amigdalite; dor de dentes; dor no punho e na mão.

6. Pienli (IG6): ponto Lo

Localização: 3 polegadas acima do Yangxi (IG5), no lado dorsorradial do antebraço, do músculo adutor longo do polegar e tendão do músculo extensor curto do carpo (Fig. 10).

Aplicação: agulhar, perpendicularmente, 0,3-0,7 polegada; moxa, 10 minutos.

Indicações: amigdalite; zumbido; distúrbios do ouvido; epistaxe; dor de dentes; paralisia facial; dor nos ombros e nos braços.

7. Wenlu (IG7): ponto Xi

Localização: 5 polegadas acima do punho, no lado dorsorradial do antebraço, entre o músculo adutor longo do polegar e músculo extensor curto do carpo (Fig. 10).

Aplicação: agulhar, perpendicularmente, 0,5 -1 polegada; moxa, 10 minutos.

Indicações: dor de dentes; furunculose no rosto e braços; amigdalite; dor no braço; estomatite; parotite; glossite; inchação no rosto.

8. Xialian (IG8)

Localização: 4 polegadas abaixo do cotovelo, no lado dorsorradial do antebraço, entre o músculo extensor longo do carpo e músculo extensor curto do carpo (Fig. 10).

Aplicação: agulhar, perpendicularmente, 0,5-1 polegada; moxa, 10 minutos.

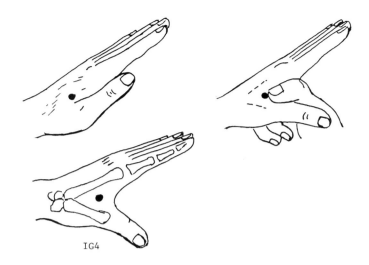

Fig. 11

Indicações: dor de cabeça; tontura; dor no antebraço; dor de barriga (ao redor do umbigo); pleurite; mastite; hematúria (cistite).

9. Shanglian (IG9)
Localização: 3 polegadas abaixo do cotovelo, no lado dorsorradial do antebraço, sobre o músculo extensor longo do carpo (Fig. 10).
Aplicação: agulhar, 0,5-1 polegada; moxa, 15 minutos.
Indicações: dor de cabeça; dor no ombro e no cotovelo; dor de estômago; dor no intestino (borborigmo); membros adormecidos; hemiplegia.

10. Shousanli (IG10)
Localização: 2 polegadas abaixo do cotovelo, no lado dorsorradial do antebraço entre o músculo extensor longo do carpo e o músculo braquiorradial (Fig. 10).
Aplicação: agulhar, perpendicularmente, 0,5-1 polegada; moxa, 15 minutos.
Indicações: dor de dentes; parotidite; rinite; furunculose; carbunculose; mastite; hemiplegia; dor no cotovelo, braço e ombro; tremor nos braços; distensão abdominal; diarreia.

11. Quchi (IG11): ponto Ho, pertence ao elemento Terra; ponto de Mãe
Localização: no lado radial do cotovelo, no músculo braquiorradial; ao dobrar o cotovelo, na depressão radial no fim da linha cubital (Fig. 10).
Aplicação: agulhar, perpendicularmente, 1,2-1,5 polegada; moxa, 20 minutos.
Indicações: dor no cotovelo (cotovelo de tenista); dor no ombro; dor no joelho; paralisia no braço; hemiplegia; febre; hipertensão; amigdalite; pleurite;

dermatite; eczema; gengivite; tuberculose; pneumonia; conjuntivite; dismenorreia; reumatismo.

12. Zhouliao (IG12)
Localização: em cima do epicôndilo lateral do úmero, no lado do osso, 1 polegada acima do Quchi (IG11) (Fig. 10).
Aplicação: agulhar, 0,5-1 polegada; moxa, 10 minutos.
Indicações: dor no cotovelo e no braço; sonolência.

13. Wuli (IG13)
Localização: no lado anterorradial do úmero, 3 polegadas acima do cotovelo, no ponto inicial do músculo braquiorradial, ao lado do músculo tríceps braquial (Fig. 10).
Aplicação: agulhar, perpendicularmente, 0,3-0,7 polegada (evitar lesar a artéria e os nervos); moxa, 10 a 20 minutos.
Indicações: dor no braço; dor no cotovelo; braquialgia.

14. Binao (IG14)
Localização: abrange o lado lateral e um pouco do radial do braço, no ponto distal do músculo deltoide, 3 polegadas abaixo do ponto Jianyu (IG15) (Fig. 12).
Aplicação: agulhar, perpendicularmente, 0,5 polegada; moxa, 15 a 20 minutos.
Indicações: dor no ombro e no braço; furunculose.

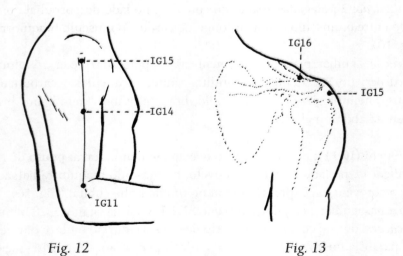

Fig. 12   Fig. 13

15. Jianyu (IG15)
Localização: em cima do ombro, na borda lateral do acrômio, há duas depressões; este ponto fica na depressão anterior (Figs. 12 e 13).
Aplicação: agulhar, perpendicularmente, 0,5-1,5 polegada; moxa, 10 a 15 minutos.
Indicações: bursite de ombro; hemiplegia; urticária; furunculose.

16. Jugu (IG16)
Localização: na depressão entre a borda superior e posterior da articulação acromioclavicular e a espinha da escápula (Fig. 13).
Aplicação: agulhar, 1-1,2 polegada.
Indicações: tendinite; bursite de ombro.

17. Tianding (IG17)
Localização: 1 polegada abaixo do ponto Futu do pescoço (IG18). Na borda posterior do músculo esternoclidomastóideo (Fig. 14).
Aplicação: agulhar, perpendicularmente, 0,5-1 polegada; moxa, 10 a 20 minutos.
Indicações: faringite; amigdalite; inflamação das cordas vocais (voz rouca).

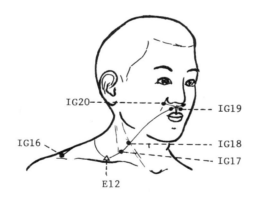

Fig. 14

18. Futu (IG18)
Localização: na linha da borda inferior da cartilagem da tiroide, a 3 polegadas da linha central, no lado do músculo esternoclidomastóideo (Fig. 14).
Aplicação: agulhar, perpendicularmente, 0,3-0,5 polegada.
Indicações: tosse; laringite; faringite; amigdalite.

19. Holiao (IG19)
Localização: 0,5 polegada no lado do ponto Renzhong (DM26).

Aplicação: agulhar, 0,3-0,5 polegada (Fig. 14).

Indicações: epistaxe; obstrução nasal; rinite; paralisia facial.

20. Yingxiang (IG20)

Localização: no ponto de encontro da linha inferior do nariz e da linha nasolabial (Fig. 14).

Aplicação: agulhar, perpendicularmente, 0,3-0,5 polegada ou obliquamente para cima (superomedial), 0,3-0,7 polegada.

Indicações: rinite; sinusite; paralisia facial; distúrbio olfativo; cólica biliar.

O meridiano do estômago, Yang-Yin da perna

O meridiano do estômago recebe energia do meridiano do intestino grosso, transmitindo-a ao meridiano do baço-pâncreas. É um meridiano Yang acoplado com o meridiano do baço-pâncreas, que é Yin.

Em relação aos cinco elementos, é de Terra, sendo sua Mãe de Fogo (o meridiano do intestino delgado) e seu Filho de Metal (o meridiano do intestino grosso).

Possui 45 pontos de cada lado.

I. Trajetória

O meridiano do estômago do Yang-Yin da perna tem sua origem nos dois lados do nariz e, comunicando-se com o meridiano da bexiga na raiz do nariz, penetra pelo arco dentário superior e sai pela pálpebra inferior do olho, descendo pelo ângulo da boca para a mandíbula. A partir do ângulo mandibular, sobe pelo arco zigomático na frente do ouvido e passa pela testa até a borda do cabelo.

O ramal principal do meridiano do estômago desce pela mandíbula no ponto Daying (E5), desce pelo lado anterolateral do pescoço ao longo do lado medial do músculo esternoclidomastóideo até a fossa supraclavicular onde se situa o ponto Quepen (E12).

A partir do ponto Quepen (E12), o meridiano do estômago divide-se em dois ramos, sendo um profundo e outro superficial.

O ramo profundo desce ao longo do esôfago, passa pelo diafragma até a região do estômago e tem um ramo que liga com os órgãos do baço-pâncreas.

O ramo superficial do meridiano do estômago desce pelo ponto Quepen (E12) pela linha do mamilo; passa na borda costal; atravessa a lateral do músculo retoabdominal até a região inguinal na lateral do osso púbico; desce pela borda medial da artéria femural; depois segue pelo lado anterolateral da coxa, na origem dos músculos sartório e tensor da fáscia lata, descendo pela borda lateral do músculo retofemural ao longo da patela dos joelhos; atinge o lado anterolateral da tíbia e o lado do músculo tibial anterior até o dorso do pé, passando entre o segundo e o terceiro metatarsos até o segundo dedo do pé (Fig.15).

II. Sintomatologia

1. Sintomas principais
    A. *Sintomas gastrointestinais*: distenção gástrica; náuseas e vômito; dor epigástrica (às vezes vai ter dor espástica); indigestão; sensação de vazio gástrico; arroto ou regurgitar ácido ou comida; sentir fome frequente; ardência precordial (sensação de queimadura no coração); mau hálito; constipação.
    B. *Face*: paralisia ou espasmo facial, acne.
    C. *Mental*: pouca sociabilidade; aversão ao fogo; busca de isolamento; P. M.D. (psicose maníaco-depressiva).
    D. *Membros*: dor; parestesia; frieiras; adormecimento ao longo do meridiano.

2. Sinais e sintomas de repleção energética do meridiano: fome frequente; dor e distensão epigástrica; secura e mau hálito; urina amarelada; constipação; sensação de calor pelo corpo; inchaço do pescoço e dor de garganta; espasmos faciais.

3. Sinais e sintomas de depleção energética do meridiano: calafrios; bocejos; sensação de cansaço; suspiros; depressão; pessimismo; indisposição; ardência precordial; perda de apetite; distensão gástrica; eliminação de fezes malformadas; disenteria; urina clara; paralisia facial.

III. Os pontos do meridiano do estômago

1. Chengoi (E1)
Localização: na pálpebra inferior entre o globo ocular e a borda do osso infraorbital, na linha vertical da pupila (Fig. 16).
Aplicação: agulhar, perpendicularmente, 0,3-1 polegada.
Indicações: conjuntivite; miopia; paralisia facial; hiperlacrimação.

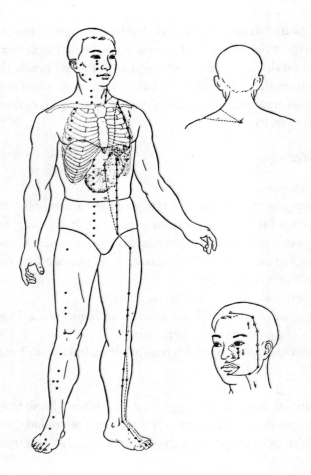

Fig. 15

2. Sibai (E2)

Localização: 0,7 polegada abaixo do Chengoi (E1), na depressão da forame infraorbital (Fig. 16).
Aplicação: agulhar, perpendicularmente, 0,2-0,3 polegada.
Indicações: conjuntivite; pterígio; paralisia facial; espasmo facial; tique; dor de cabeça; tontura; trigeminalgia.

3. Juliao (E3)

Localização: no ponto de encontro entre a linha vertical da pupila e a linha horizontal da borda inferior do nariz, na fossa maxilar, abaixo do processo zigomático (Fig. 16).
Aplicação: agulhar, perpendicularmente, 0,3-0,5 polegada.
Indicações: paralisia facial; conjuntivite; hiperlacrimação; miopia; epistaxe; dor de dentes; trigeminalgia; inchaço no rosto.

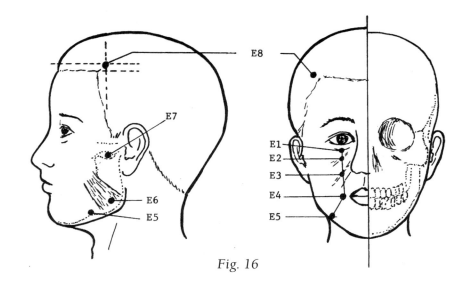

Fig. 16

4. Ditsang (E4)
Localização: 0,4 polegada, no canto da boca (Fig. 16).
Aplicação: agulhar, perpendicularmente, 0,2-0,3 polegada, ou horizontalmente na direção do ponto Jiache (E6), 1-2 polegadas.
Indicações: paralisia facial; trigeminalgia; tique; hipersalivação.

5. Daying (E5)
Localização: na borda da fossa mandibular, em frente ao músculo masseter no lado da artéria (Fig. 16).
Aplicação: agulhar, perpendicularmente, 0,3-0,4 polegada, evitar a artéria.
Indicações: dor de dentes; inchaço do rosto; paralisia facial; parotidite.

6. Jiache (E6)
Localização: ângulo mandibular, no ponto inicial do músculo masseter (Fig.16).
Aplicação: agulhar, perpendicularmente, 0,3-0,5 polegada, ou horizontalmente na direção do ponto Ditsang (E4), 1-2 polegadas.
Indicações: dor de dentes; paralisia facial; parotidite; espasmo do músculo masseter; trigeminalgia.

7. Xiaguan (E7)
Localização: na depressão baixa da borda do arco zigomático, no lado anterior do processo condiloide e mandibular (Fig.16).
Aplicação: agulhar, perpendicularmente, 0,5-1 polegada.

Indicações: zumbido; dor de ouvido; dor de dentes; trigeminalgia; artrite do temporomandibular; paralisia facial.

8. Touwei (E8)

Localização: 0,5 polegada acima da linha do cabelo, no canto superolateral da linha do cabelo (Fig. 16).
Aplicação: agulhar, perpendicularmente, 0,3-0,5 polegada.
Indicações: dor de cabeça (frontal e orbital); hiperlacrimação; paralisia facial.

9. Renying (E9)

Localização: lado anterolateral do pescoço, na linha horizontal do processo da cartilagem da tireoide, na borda anterior do músculo esternoclidomastóideo (Fig. 17).
Aplicação: agulhar, 0,3-0,5 polegada.
Indicações: laringite; amigdalite; tosse, voz rouca; asma; hipertrofia da tireoide.

10. Shuitu (E10)

Localização: no meio da distância entre os pontos Renying (E9) e Qishe (E11), abaixo do Renying (E9), no lado anterior do músculo esternoclidomastóideo (Fig.17).
Aplicação: agulhar, 0,3-0,5 polegada; moxa, 10 minutos.
Indicações: faringite; amigdalite; tosse; asma.

11. Qishe (E11)

Localização: acima da clavícula na borda lateral do músculo esternoclidomastóideo (Fig.17).
Aplicação: agulhar, perpendicularmente, 0,3-0,5 polegada; moxa, 10 minutos.
Indicações: amigdalite; faringite; tosse; falta de ar; furunculose; rigidez de nuca; asma.

12. Quepen (E12)

Localização: fossa supraclavicular, na linha mamária acima da clavícula.
Aplicação: agulhar, perpendicularmente, 0,3-0,5 polegada; moxa, 10 minutos.
Indicações: asma; faringite; amigdalite; furunculose; bronquite; rigidez e dor na nuca; braquialgia; pleurite.

13. Qihu (E13)

Localização: borda inferior da clavícula, na linha mamária (Fig. 17).
Aplicação: agulhar, perpendicularmente, 0,3-0,5 polegada; moxa, 10 minutos.
Indicações: asma; bronquite; falta de ar; braquialgia.

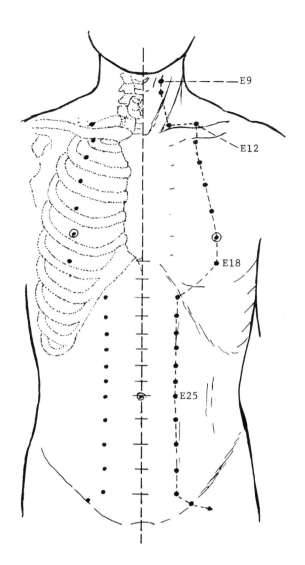

Fig. 17

14. Kufang (E14)

Localização: uma polegada abaixo do ponto Qihu (E13), entre o espaço da primeira e da segunda costelas, na linha mamária (Fig. 17).
Aplicação: agulhar, perpendicularmente, 0,3-0,5 polegada; moxa, 10 minutos.
Indicações: bronquite; nevralgia intercostal.

15. Wuyi (E15)

Localização: segundo espaço intercostal, na linha mamária (Fig. 17).
Aplicação: agulhar, perpendicularmente, 0,3-0,5 polegada, ou obliquamente, 0,5-1 polegada; moxa, 10 a 20 minutos.

Indicações: bronquite; nevralgia intercostal; urticária; inchaço do corpo; dermatite.

16. Yingchung (E16)
Localização: segundo espaço intercostal, na linha mamária (Fig. 17).
Aplicação: agulhar, 0,3-0,5 polegada; moxa, 10 a 15 minutos.
Indicações: asma; bronquite; nevralgia intercostal; dor na região mamária; cólica intestinal.

17. Ruzhong (E17)
Localização: no centro do mamilo (Fig. 17).
Aplicação: contraindicação de agulha ou moxa.

18. Rugen (E18)
Localização: no quinto espaço intercostal abaixo do mamilo, na linha mamária (Fig. 17).
Aplicação: agulhar, perpendicularmente, 0,3-0,5 polegada, ou obliquamente para o lado do corpo, 0,5-0,8 polegada; moxa, 10 minutos.
Indicações: mastite; distúrbio da lactação; nevralgia intercostal.

19. Buron (E19)
Localização: 2 polegadas no lado do Jujue (RM14), na borda da costela, 6 polegadas acima da linha horizontal do umbigo (Fig. 17).
Aplicação: agulhar, obliquamente (para cima e para o lado), 0,5-0,8 polegada; moxa, 10 a 15 minutos.
Indicações: dor de estômago; gastrectasia; náusea e vômito; nevralgia intercostal.

20. Chengman (E20)
Localização: 5 polegadas acima do umbigo e 2 polegadas ao lado da linha média na linha lateral do músculo retoabdominal (Fig. 17).
Aplicação: agulhar, perpendicularmente, 0,5-1 polegada; moxa, 15 minutos.
Indicações: gastrite; cólica intestinal; epigastralgia; distensão abdominal; dispepsia; cólica biliar; icterícia.

21. Liangmen (E21)
Localização: 4 polegadas acima do umbigo e 2 polegadas ao lado da linha média na linha lateral do músculo retoabdominal (Fig. 17).
Aplicação: agulhar, perpendicularmente, 0,5-1 polegada; moxa, 15 minutos.
Indicações: gastralgia; úlcera gástrica ou duodenal; diarreia; cólica intestinal.

22. Guanmen (E22)

Localização: 3 polegadas acima do umbigo e 2 polegadas ao lado da linha média na linha lateral do músculo retoabdominal (Fig. 17).
Aplicação: agulhar, perpendicularmente, 0,5-1 polegada; moxa, 15 minutos.
Indicações: distensão abdominal; diarreia; borborigmo; anorexia.

23. Taiyi (E23)

Localização: 2 polegadas acima do umbigo, ao lado do músculo retoabdominal (Fig. 17).
Aplicação: igual ao do ponto Guanmen (E22).
Indicações: igual a Guanmen (E22).

24. Huaromen (E24)

Localização: 1 polegada acima do umbigo, ao lado do músculo retoabdominal (Fig. 17).
Aplicação: igual à do ponto Guanmen (E22).
Indicações: rigidez da língua; náuseas e vômito; distúrbio gastrointestinal; comportamento maníaco; esterilidade; dismenorreia.

25. Tianshi (E25)

Localização: 2 polegadas ao lado do ponto Mu do intestino na linha lateral do músculo retoabdominal (Fig. 17).
Aplicação: agulhar, perpendicularmente, 0,5-1,5 polegada; moxa, 15 a 20 minutos.
Indicações: gastroenterite aguda ou crônica; disenteria; diarreia alérgica; borborigmo; náuseas e vômito; distensão abdominal; constipação; ascite; apendicite; anexite; dismenorreia.

26. Wailing (E26)

Localização: 1 polegada abaixo do umbigo, 2 polegadas ao lado da linha média na borda lateral do músculo retoabdominal (Fig. 17).
Aplicação: agulhar, perpendicularmente, 0,5-1 polegada; moxa, 10 minutos.
Indicações: cólica abdominal; dismenorreia.

27. Daju (E27)

Localização: 2 polegadas abaixo do umbigo e 2 polegadas ao lado da linha média na borda lateral do músculo retoabdominal (Fig. 17).
Aplicação: igual à do ponto Wailing (E26).
Indicações: cólica intestinal; constipação; distensão abdominal; cansaço e preguiça do corpo; insônia; distúrbio de micção.

28. Shuidao (E28)

Localização: 3 polegadas abaixo do umbigo e 2 polegadas ao lado da linha média na borda lateral do músculo retoabdominal (Fig. 17).
Aplicação: igual à do ponto Wailing (E26).
Indicações: nefrite; cistite; distúrbio urogenital; prolapso anal; dismenorreia; anexite.

29. Guilai (E29)

Localização: 4 polegadas abaixo da linha horizontal do umbigo e 2 polegadas ao lado da linha média do corpo, na borda lateral do músculo retoabdominal (Fig. 17).
Aplicação: igual à do ponto Wailing (E26).
Indicações: dismenorreia; amenorreia; menorragia; anexite; infecção urogenital; hérnia; cólica abdominal ou urogenital; dor no pênis; esterilidade.

30. Qichong (E30)

Localização: na linha horizontal suprapúbica, 2 polegadas ao lado da linha média na borda lateral da região púbica (Fig. 17).
Aplicação: agulhar, 0,3-0,5 polegada; moxa, 10 a 15 minutos.
Indicações: dor nos órgãos genitais; distúrbio urogenital; hérnia; dismenorreia; esterilidade.

31. Biguan (E31)

Localização: no encontro das linhas da espinha ilíaca anterossuperior e infrapúbica, entre o músculo tensor da fáscia lata e o músculo sartório (Fig. 18).
Aplicação: agulhar, perpendicularmente, 0,5-1,5 polegada; moxa, 10 a 20 minutos.
Indicações: tendinite da coxa; hemiplegia; paralisia da perna.

32. Futu (E32)

Localização: 6 polegadas acima da patela, no lado do músculo retofemural (Fig. 18).
Aplicação: agulhar, 0,5-1 polegada.
Indicação: dor na coxa; fraqueza da perna; hemiplegia; urticária.

33. Yinshi (E33)

Localização: 3 polegadas acima da borda superior da patela, na lateral do tendão do músculo quadríceps da coxa (Fig. 18).
Aplicação: agulhar, 0,5-1 polegada; moxa, 10 a 15 minutos.
Indicações: dor no joelho e na perna; paralisia da perna; edema da perna.

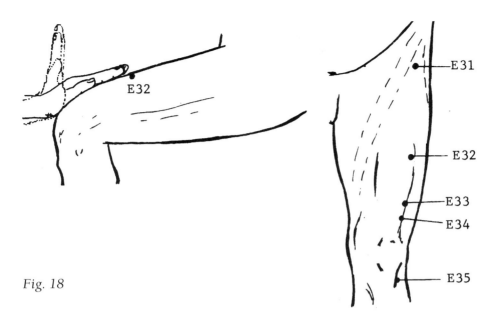

Fig. 18

34. Liangqiu (E34): ponto de Xi
Localização: 2 polegadas acima da borda superior da patela, na lateral do tendão do músculo quadríceps da coxa (Fig. 18).
Aplicação: igual à do ponto Yinshi (E33); moxa, 10 a 20 minutos.
Indicações: artrite ou periartrite no joelho; dor na perna; mastite; gastrite; enterite; apendicite.

35. Dubi (E35)
Localização: na fossa lateral do tendão da patela abaixo da patela (Figs. 18 e 19).
Aplicação: agulhar, obliquamente, 0,5-1 polegada; moxa, 10 minutos.
Indicações: artrite; periartrite; tendinite no joelho; distúrbio de função do músculo do esfíncter anal.

36. Zusanli (E36): ponto Ho, pertence ao elemento Terra
Localização: 3 polegadas abaixo da patela entre o músculo tibial anterior e o músculo extensor longo dos dedos (Fig. 19).
Aplicação: agulhar, perpendicularmente, 0,5-1 polegada; moxa, 10 a 15 minutos.
Indicações: indigestão; dispepsia; gastrite; dor de estômago; disenteria; náuseas e vômito; distensão abdominal; constipação; enterite; paralisia na perna; paralisia facial; epilepsia; rinite; faringite e para fortalecimento geral.

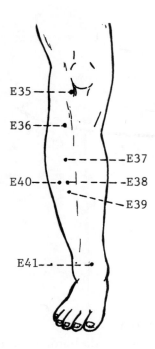

Fig. 19

37. Shangjuxu (E37)
Localização: 3 polegadas abaixo de Zusanli (E36), no lado anterior lateral do músculo tibial anterior (Fig. 19).
Aplicação: agulhar, 0,5-1 polegada; moxa, 10 minutos.
Indicações: dor de estômago; enterite; diarreia; dor no intestino grosso; apendicite; edema nas pernas e nos joelhos; paralisia das pernas.

38. Tiaokou (E38)
Localização: 8 polegadas abaixo do joelho, 2 polegadas abaixo do ponto Shangjuxu (E37), no lado do músculo tibial anterior (Fig. 19).
Aplicação: agulhar, perpendicularmente, 0,5-1,5 polegada; moxa, 10 minutos.
Indicações: paralisia das pernas; dor nas pernas; frieza nas pernas; epigastralgia; cólica abdominal; diarreia; dor nos ombros; amigdalite.

39. Xiajuxu (E39)
Localização: 1 polegada abaixo do ponto Tiaokou (E38) (Fig. 19).
Aplicação: agulhar, perpendicularmente, 0,5-1 polegada; moxa, 10 minutos.
Indicações: cólicas abdominal e epigástrica; disenteria; paralisia das pernas; dor nos seios; dor no cotovelo.

40. Fenglong (E40): ponto Lo

Localização: 8 polegadas abaixo do joelho; 0,5 polegada ao lado do ponto Tiaokou (E38), na borda lateral do músculo extensor longo dos dedos (Fig. 19).

Aplicação: agulhar, perpendicularmente, 0,5-1 polegada; moxa, 10 a 15 minutos.

Indicações: asma; tosse com muito catarro; tontura ou vertigem; constipação; edema nas pernas; pernas adormecidas ou paralisadas; hemiplegia; dor de cabeça; amigdalite; apoplexia e hipertensão.

41. Jiexi (E41): ponto Jing, pertence ao elemento Fogo; ponto de Mãe

Localização: no ponto médio dorsal do tornozelo acima do ligamento cruciato, entre os tendões do músculo extensor longo do hálux e o extensor longo dos dedos (Figs. 19 e 20).

Aplicação: agulhar, perpendicularmente, 0,5-1 polegada; moxa, 10 minutos.

Indicações: dor de cabeça frontal; tontura; inchaço no rosto; distensão abdominal; constipação; diarreia; torção no tornozelo; perna e pé adormecidos.

42. Chongyang (E42): ponto Yuan

Localização: 1,5 polegada abaixo do ponto Jiexi (E41), no lado da artéria, onde passa a artéria dorsal do pé (Fig. 20).

Aplicação: moxa, 10 a 15 minutos.

Indicações: dor no pé; dor de dentes; gengivite; anorexia; epilepsia; inchaço no rosto.

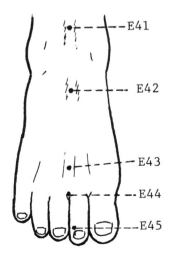

Fig. 20

43. Xiangu (E43): ponto Shu, pertence ao elemento Água

Localização: na depressão entre o segundo e o terceiro metatarso, próximo da articulação metatarsofalangiana, no lado do músculo interósseo dorsal (Fig. 20).

Aplicação: agulhar, perpendicularmente, 0,3-0,5 polegada; moxa, 10 minutos.

Indicações: inchaço no rosto; conjuntivite; cólica abdominal; ascite; hipertranspiração noturna; dor no lado dorsal do pé; dor na palma da mão; amigdalite; metatarsalgia; bocejo.

44. Neiting (E44): ponto Ying, pertence ao elemento Água

Localização: entre o segundo e o terceiro dedos do pé, na frente das articulações metatarsofalangianas (Fig. 20).

Aplicação: agulhar, 0,3-0,5 polegada.

Indicações: dor de dentes; epistaxe; amigdalite; faringite; artrite da articulação temporomandibular; distensão abdominal; cólica do intestino; disenteria; dismenorreia; bocejo.

45. Lidui (E45): ponto Jin, pertence ao elemento Metal; ponto de Filho

Localização: 0,1 polegada no lado da esquina lateral do leito ungueal do segundo dedo do pé (Fig.20).

Aplicação: agulhar, para sangrar, ou obliquamente, 0,1-0,2 polegada.

Indicações: gengivite; amigdalite; hepatite; paralisia facial; epistaxe; rinite; excesso de sonhos; comportamento maníaco.

O meridiano do baço-pâncreas, Tai-Yin da perna

Este meridiano é de natureza Yin e apresenta-se acoplado ao meridiano do estômago, que é de natureza Yang. Recebe a energia do meridiano do estômago, e transmite-a ao meridiano do coração.

Pertence ao elemento Terra de Yin, enquanto sua Mãe é de Fogo, de Yin (o meridiano do coração) e seu filho é de Metal, de Yin (o meridiano do pulmão).

Tem 21 pontos de cada lado.

I. Trajetória

Este meridiano começa no dedão do pé; sobe ao longo do lado medial do dedão, primeiro metatarso ao maléolo medial. Continua ao longo da borda posteromedial da tíbia; passa pelo lado medial do joelho, e sobe pelo lado medial da coxa, atingindo a região da virilha; daí, segue pela região anterolateral do abdômen e pelo lado lateral do peito até a axila.

O ramal profundo parte da região inguinal introduz-se na cavidade do abdômen, liga-se ao meridiano do baço-pâncreas e ao do estômago, passando pelo diafragma; contorna então o esôfago e atinge a raiz e o lado inferior da língua.

Este meridiano possui um outro ramal que sai do estômago, passa pelo diafragma e liga-se ao coração (Fig. 21).

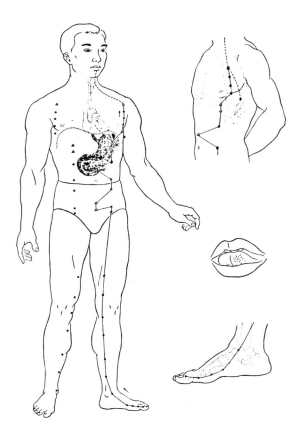

Fig. 21

II. Sintomatologia

1. *Sintomas principais*

   A. *Gerais*: desnutrição; palidez.
   B. *Gastrointestinais*: epistralgia; distensão abdominal; eructação; náuseas e vômitos depois de comer; dispepsia; opressão no peito; diarreia;

icterícia; dor na raiz da língua; corpo desvitalizado e indolente; depressão; insônia; sonolência e tendência a sonhar.
C. *Musculares*: distrofia e fraqueza muscular.
D. *Hematológicos*: anemia; menorragia.
E. *Psicológicos*: dificuldade de concentração; preocupação; depressão.

2. *Sintomas e sinais de excesso energético*: distensão abdominal; epigastralgia; icterícia e febre; dor nas articulações; eructação; constipação.

3. *Sintomas e sinais de depleção energética*: distensão do intestino; borborigmo; diarreia; indigestão; inapetência; náuseas e vômito; insônia (acorda facilmente); fraqueza e distrofia dos membros; indolência; ascite.

III. Os pontos do meridiano do baço-pâncreas

1. Yinbai (BP1): ponto Jin, pertence ao elemento Madeira
Localização: no lado medial do dedão do pé; 0,1 polegada posteromedial do leito ungueal (Fig. 22).
Aplicação: agulhar, obliquamente, para cima, 0,1-0,2 polegada; para sangrar uma a duas gotas.
Indicações: distensão abdominal; diarreia; menstruação irregular; menorragia; insônia; distúrbio mental; sonolência; tendência ao sonho.

2. Dadu (BP2): ponto Ying, pertence ao elemento Fogo; ponto de Mãe
Localização: no lado medial do dedão do pé, anteroinferior da articulação do primeiro metatarso, entre as peles escura e clara (Fig. 22).
Aplicação: agulhar, perpendicularmente, 0,3-0,5 polegada; moxa, 10 minutos.
Indicações: distensão abdominal; cólica abdominal; lombalgia; gastroenterite; indigestão; constipação; cansaço do corpo.

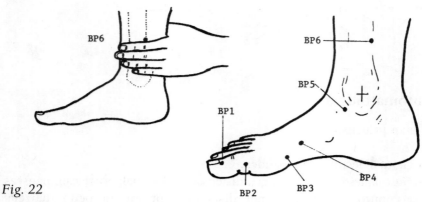

Fig. 22

3. Taipai (BP3): ponto Shu, pertence ao elemento Terra

Localização: no lado medial do pé, posteroinferior do joanete (na articulação do primeiro metatarso), na linha da junção da pele escura e clara (Fig. 22).

Aplicação: agulhar, perpendicularmente, 0,3-0,5 polegada; moxa, 10 minutos.

Indicações: gastralgia; distensão abdominal; cólica do intestino; indigestão; gastroenterite; disenteria; hemorroidas; artrite no pé; gota; lombalgia.

4. Gungsun (BP4): ponto Lo

Localização: no lado medial do pé; 1 polegada atrás da articulação metatarsofalangiana, na junção da pele escura e clara (Fig. 22).

Aplicação: agulhar, perpendicularmente, 0,3-0,5 polegada; moxa, 10 minutos.

Indicações: gastralgia; dispepsia; inapetência; náuseas e vômito; diarreia; distensão do estômago e intestino; cólica abdominal; colite crônica; inchaço do rosto; gota; metatarsalgia; epilepsia.

5. Shangqiu (BP5): ponto Jing, pertence ao elemento Metal; ponto de Filho

Localização: na fossa anteroinferior do maléolo medial do tornozelo, do ponto de encontro das linhas das bordas anterior e inferior do maléolo medial (Fig. 22).

Aplicação: agulhar, perpendicularmente, 0,3-0,5 polegada; moxa, 10 minutos.

Indicações: distensão abdominal; borborigmo; dispepsia; vômito; diarreia; constipação; icterícia; hemorroidas; dor no tornozelo.

6. Sanyinjiao (BP6)

Localização: 3 polegadas acima do maléolo medial, na borda posteromedial da tíbia (Fig. 22).

Aplicação: agulhar, perpendicularmente, 0,3-1 polegada; moxa, 15 a 20 minutos.

Indicações: distúrbios de estômago e pâncreas; distensão epigástrica; indigestão; falta de apetite; borborigmo e diarreia; distúrbios dos órgãos genitais; menorragia; dismenorreia; menstruação irregular; impotência; orquite; dor no pênis; aspermia; infecção urogenital; dor ou artrite na perna; inchaço na perna.

7. Lougu (BP7): ponto Lo

Localização: 6 polegadas acima do maléolo medial, na borda posterior da tíbia (Fig. 23).

Aplicação: agulhar, perpendicularmente, 0,3-1 polegada; moxa, 10 minutos.

Indicações: borborigmo; distensão abdominal; magreza; enurese; hérnia inguinal; dor ou adormecimento da perna; frio na perna ou no pé.

8. Diji (BP8): ponto Xi
Localização: no lado medial da perna, 5 polegadas abaixo do joelho, 3 polegadas abaixo do ponto Yinlingquan (BP9), na borda posterior da tíbia (Fig. 23).
Aplicações: agulhar, perpendicularmente, 0,3-1 polegada; moxa, 10 minutos.
Indicações: distensão abdominal; falta de apetite; indigestão; diarreia; dismenorreia; leucorreia; hérnia inguinal; aspermia; lombalgia.

9. Yinlingquan (BP9): ponto Ho, pertence ao elemento Água
Localização: no lado medial da cabeça da tíbia; na depressão da borda posteroinferior da tíbia; na linha inferior da tuberosidade da tíbia (Fig. 23).
Aplicação: agulhar, perpendicularmente, 0,5-1 polegada.
Indicações: distensão abdominal; indigestão; cólica abdominal; diarreia; disenteria; edema; oligúria; ascite; dor genitourinária; micção noturna; menstruação irregular; dor na perna e no joelho; furunculose na coxa medial; dor no cotovelo.

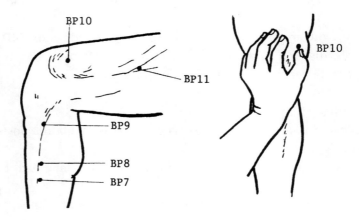

Fig. 23

10. Xuehai (BP10)
Localização: 2 polegadas acima da borda superior da patela, no lado do músculo vasto medial (Fig. 23).
Aplicação: agulhar, perpendicularmente, 0,5-1 polegada; moxa, 10 a 20 minutos.
Indicações: menstruação irregular; menorragia; oligúria ou menorreia; infecção genital; urticária; furunculose na coxa medial.

11. Jimen (BP11)

Localização: 6 polegadas acima do Xuehai (BP10), no lado medial do músculo sartório (Fig. 23).
Aplicação: agulhar, perpendicularmente, 0,5-1 polegada; evitar a artéria; moxa, 10 minutos.
Indicações: dor no lado medial da coxa e inguinal; dor na pélvis; hemorroidas; infecção genital; disúria; enurese; impotência; orquite.

12. Chongmen (BP12)

Localização: 6 polegadas do ponto medial da borda superior da sínfise púbica, no lado lateral da artéria (Fig. 24).
Aplicação: agulhar, perpendicularmente, 0,3-0,7 polegada; evitar a artéria.
Indicações: dor ou inflamação nos órgãos genitais; leucorreia; orquite; endometriose; hérnia.

13. Fushe (BP13): ponto Xi de Tai Ying

Localização: 0,7 polegada acima do ponto Chongmen (BP12) e 4 polegadas ao lado da linha média do abdômen (Fig. 24).
Aplicação: agulhar, perpendicularmente, 0,7-1 polegada; moxa, 15 minutos.
Indicações: cólica abdominal; diarreia; hérnia inguinal; apendicite; distensão abdominal.

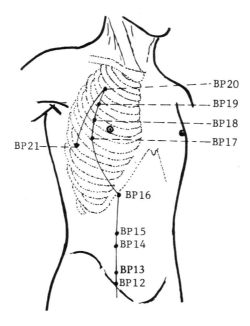

Fig. 24

14. Fujie (BP14)

Localização: 1,3 polegada abaixo do ponto Daheng (BP15), 4 polegadas ao lado da linha medial do abdômen (Fig. 24).
Aplicação: agulhar, perpendicularmente, 0,7-1 polegada; moxa, 15 minutos.
Indicações: dor de barriga periumbilical; hérnia; diarreia; apendicite.

15. Daheng (BP15)

Localização: na linha horizontal do umbigo, 4 polegadas na borda lateral do umbigo (Fig. 24).
Aplicação: agulhar 0,7-1 polegada; moxa, 10 minutos.
Indicações: diarreia; cólica crônica; prisão de ventre; dor abdominal; paralisia intestinal; hiper-hidrose noturna.

16. Fuai (BP16)

Localização: 3 polegadas acima do ponto Daheng (BP15), 4 polegadas no lado da linha média (Fig. 24).
Aplicação: agulhar 0,7-1 polegada; moxa, 15 minutos.
Indicações: dor de barriga periumbilical; indigestão; constipação.

17. Shiduo (BP17)

Localização: no quinto espaço intercostal, 6 polegadas no lado da linha média (Fig.24).
Aplicação: agulhar, obliquamente, 0,3-0,8 polegada; moxa, 15 minutos.
Indicações: pneumonia; pleurite; nevralgia intercostal; hepatite; cirrose e ascite; disenteria; indigestão.

18. Tianxi (BP18)

Localização: no quarto espaço intercostal, 6 polegadas no lado da linha média ou 2 polegadas no lado da linha do mamilo (Fig. 24).
Aplicação: agulhar, obliquamente, 0,3-0,8 polegada; moxa, 15 minutos.
Indicações: nevralgia intercostal; dor no lado do peito; mastite; tosse; soluço.

19. Xiongxiang (BP19)

Localização: no terceiro espaço intercostal, 6 polegadas no lado da linha média (Fig. 24).
Aplicação: agulhar, obliquamente, 0,3-0,8 polegada; moxa, 15 minutos.
Indicações: igual ao ponto Tianxi (BP18).

20. Zourong (BP20)

Localização: no segundo espaço intercostal, 6 polegadas no lado da linha média (Fig. 24).

Aplicação: agulhar, obliquamente, 0,3-0,8 polegada; moxa, 15 minutos.
Indicações: dor e distensão no peito; nevralgia intercostal; tosse.

21. Dabao (BP21)
Localização: 3 polegadas abaixo da fossa axilar, na linha média da axila no sexto espaço intercostal (Fig. 24).
Aplicação: agulhar, obliquamente, 0,3-0,8 polegada; moxa, 10 minutos.
Indicações: asma; pneumonia; pleurite; dor intercostal; dor no lado do peito; fraqueza e dor no corpo inteiro.

O meridiano do coração, Shao-Yin da mão

Este meridiano é de natureza Yin, apresenta-se acoplado ao meridiano do intestino delgado, que é Yang. Recebe energia do meridiano do baço-pâncreas, transmitindo-a ao meridiano do intestino delgado.

Em relação aos cinco elementos, pertence ao Fogo de Yin, sendo sua Mãe o meridiano do fígado (Madeira) e seu Filho o meridiano do baço-pâncreas (Terra).

Tem nove pontos de cada lado.

I. Trajetória

A energia deste meridiano sai do coração pelo caminho do nervo autônomo do sistema cardiovascular; descendo, passa pelo diafragma, comunicando-se com o intestino delgado.

O ramal principal sai do coração e sobe pelo pulmão, atingindo a axila. Passa então ao longo do lado medial e ulnar do braço e desce pelo epicôndilo medial do cotovelo e pelo lado medial dos músculos flexores ulnar do carpo. Passa pelo pulso entre o quarto e o quinto metacarpos da mão e chega ao ponto do dedo mínimo.

O ramal colateral profundo sobe do coração ao longo do esôfago, da faringe e da raiz da língua, passa atrás do nariz, por entre os olhos, comunicando-se com os seus tecidos (Fig. 25).

II. Sintomatologia

1. Sintomas principais

A. *Coração*: falta de ar; aperto no coração; palpitação; dor no coração.
B. *Vasculares*: sensação de calor e rubor no rosto; calor na palma da mão; suor noturno.

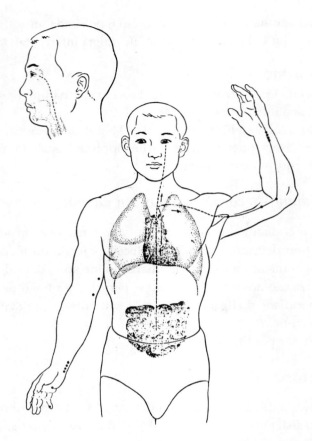

Fig. 25

    C. *Boca e língua*: boca seca e sede; rigidez na língua; língua avermelhada e apresentando úlceras.
    D. *Braço*: dor, adormecimento ou formigamento no braço, ao longo do meridiano.
    E. *Mental*: nervosismo; insônia; falta de memória; muito sonho.

2. *Sintomas e sinais de excesso de energia*: boca seca e sede; dor no coração (pré-cardial); dor no trajeto do meridiano; rosto avermelhado; ansiedade e insônia; língua rígida, apresentando coloração avermelhada e úlceras; aumento da pulsação.

3. *Sintomas e sinais de depleção energética*: dispneia no esforço; aperto no peito; palpitação; muito sonho; insônia; calor na palma da mão; hipertranspiração à noite; falta de memória; membros frios.

III. Os pontos do meridiano do coração

1. Jiquan (C1)
Localização: no centro da fossa axilar, no lado medial da artéria axilar (Fig. 26).
Aplicação: agulhar, perpendicularmente, 0,3-0,5 polegada; evitar a artéria; moxa, 20 minutos.
Indicações: dor no braço, ombro e peito; dor no coração; nevralgia intercostal; mau cheiro na axila.

2. Chingling (C2)
Localização: 3 polegadas acima do cotovelo, na borda medial do músculo bíceps braquial (Fig. 26).
Aplicação: agulhar, perpendicularmente, 0,3-0,5 polegada; evitar a artéria; moxa, 10 minutos.
Indicações: dor de cabeça frontal; icterícia e frieza do corpo; nevralgia e espasmo do braço.

3. Shaohai (C3): ponto Ho, pertence ao elemento Água; ponto de Mãe
Localização: no lado radial do epicôndilo medial do úmero, acima do ponto inicial do músculo pronador e do músculo flexor do antebraço (Fig. 26).
Aplicação: agulhar, perpendicularmente, 0,3-0,5 polegada; moxa, 5 a 10 minutos.
Indicações: dor de dentes; dor de cabeça; dor na nuca e antebraço; nevralgia intercostal; torcicolo; zumbido; furunculose; tremor nos braços.

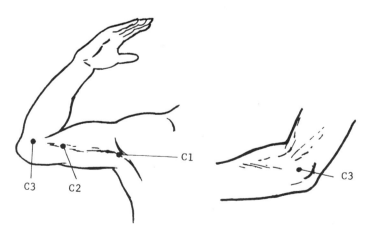

Fig. 26

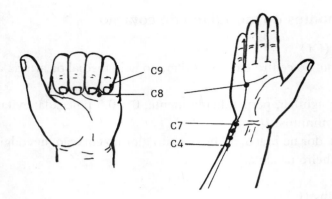

Fig. 27

4. Lingdao (C4): ponto Jing, pertence ao elemento Metal
Localização: no lado ventral e medial do antebraço, no lado do músculo flexor do carpo e 1,5 polegada acima da linha do punho (Fig. 27).
Aplicação: agulhar, perpendicularmente, 0,3 polegada; moxa, 10 minutos.
Indicações: *angina pectoris*; dor nos braços no lado ulnar; histeria; edema ou paralisia das cordas vocais.

5. Tungli (C5): ponto Lo
Localização: no lado ventral e ulnar do antebraço, no lado ulnar do tendão do músculo flexor ulnar do carpo; 1 polegada acima do punho (Fig. 27).
Aplicação: agulhar 0,3 polegada; moxa, 10 a 15 minutos.
Indicações: dor de cabeça e tontura; palpitação; voz rouca; dor de garganta; rigidez da língua; insônia ou sonolência; preguiça; dor no punho.

6. Yinxi (C6) ponto Xi
Localização: no lado ulnar do punho, no lado radial do tendão do músculo flexor ulnar do carpo; 0,5 polegada acima do ponto Shenmen (C7) (Fig: 27).
Aplicação: agulhar, perpendicularmente, 0,2-0,4 polegada; moxa, 10 minutos.
Indicações: tontura; palpitação; paroxismo da taquicardia; epistaxe; amigdalite; dor de garganta; neurastenia; *angina pectoris*; soluço; transpiração à noite; histeria.

7. Shenmen (C7): ponto Shu, pertence ao elemento Terra; ponto de Filho
Localização: no lado ulnar do punho, no lado radial do tendão do músculo flexor ulnar do carpo, atrás do osso pisiforme (Fig. 27).
Aplicação: agulhar, perpendicularmente, 0,1-0,3 polegada; moxa, 15 minutos.
Indicações: *angina pectoris*; neurastenia; psiconeurose; ansiedade; palpitação; dor de cabeça e tontura; epilepsia; insônia; icterícia; dor na axila; dor na garganta; dor no punho.

8. Shaofu (C8): ponto Ying, pertence ao elemento Fogo
Localização: na palma da mão, entre o quarto e o quinto metacarpos, atrás das articulações metacarpofalangianas (Fig. 27).
Aplicação: agulhar, perpendicularmente, 0,2-0,5 polegada; moxa, 10 minutos.
Indicações: qualquer problema do coração; palpitação; *angina pectoris*; diurese; enurese; dor no lado ulnar do antebraço.

9. Shaochong (C9): ponto Jin, pertence ao elemento Madeira
Localização: no lado radial do dedo mínimo (quinto dedo) da mão; 0,1 polegada no canto radial da unha (Fig.27).
Aplicação: agulhar 0,1 polegada.
Indicações: palpitação; dor no peito; dor de garganta; apoplexia; coma.

O meridiano do intestino delgado, o Tai-Yang da mão

Este meridiano é de natureza Yang, e se apresenta acoplado ao meridiano do coração, que é Yin. Recebe a energia do meridiano do coração, transmitindo-a ao meridiano da bexiga.

Em relação aos cinco elementos, pertence ao elemento Fogo de Yang, sendo sua Mãe o meridiano da vesícula biliar (Madeira) e seu Filho o meridiano do estômago (Terra).

Tem dezenove pontos de cada lado.

I. Trajetória

A energia do meridiano do intestino delgado começa no ponto do dedo mínimo (quinto dedo) da mão, sobe pelo lado ulnar da mão, passando pelo punho; a seguir corre ao longo do lado ulnar dos músculos extensor ulnar do carpo e flexor ulnar do carpo; no cotovelo passa pelo lado medial do olecrânio; depois sobe pelo lado ulnar do músculo tríceps braquial até a borda posterior e lateral do ombro.

A partir do ombro, sobe, passando ao longo do osso escápula e da fossa supraclavicular por entre o tronco (pelo espaço mediastinal); liga-se ao coração, desce e, atravessando o diafragma e o abdômen, atinge o intestino delgado.

Um de seus ramais sobe da fossa supraclavicular ao longo do lado do pescoço (em posição posterolateral) do músculo esternoclidomastóideo ao lado do rosto até o ângulo lateral do olho, dirigindo-se, então, para trás do ouvido.

O outro ramal desce lateralmente ao rosto passando pela parte inferior do olho até seu ângulo medial (Fig. 28).

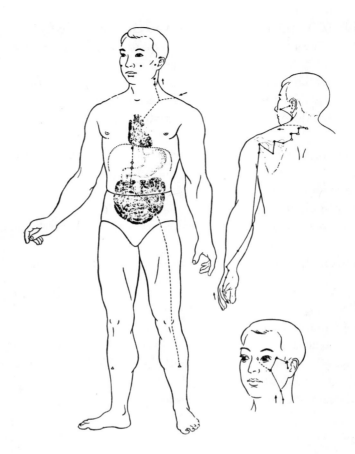

Fig. 28

II. Sintomatologia

1. Sintomas principais

    A. *Cervical*: dor; adormecimento ou formigamento na nuca; ombro e braço ao longo do trajeto do meridiano.
    B. *Ouvidos*: zumbido; surdez.
    C. *Garganta*: dor; úlcera.
    D. *Intestino delgado*: dor ao redor do umbigo; borborigmo; diarreia.

2. *Sintomas e sinais de excesso de energia*: dor de garganta; dor e rigidez na nuca; dor no ombro e braço; dor nos olhos.

3. *Sintomas e sinais de depleção energética*: borborigmo; diarreia; zumbido; surdez; adormecimento ou formigamento do braço ao longo do trajeto do meridiano.

III. Os pontos do meridiano do intestino delgado

1. Shaoze (ID1): ponto Jin, pertence ao elemento Metal
Localização: no lado ulnar do dedo mínimo (quinto dedo) da mão, 0,1 polegada ao lado ulnar do leito ungueal (Fig. 29).
Aplicação: agulhar 0,1 polegada, ou por punção, para sangrar uma a duas gotas.
Indicações: dor de cabeça; rigidez e dor na nuca; dor de garganta; pterígio; surdez; epistaxe; dor e paralisia do dedo mínimo e antebraço; mastite; falta de leite pós-parto; apoplexia; mania.

2. Quiangu (ID2): ponto Ying, pertence ao elemento Água
Localização: no lado ulnar do dedo mínimo (quinto dedo) da mão, na frente da articulação metacarpofalangiana, entre as peles clara e escura (Fig. 29).
Aplicação: agulhar, perpendicularmente, 0,1-0,3 polegada; moxa, 10 minutos.
Indicações: dor de cabeça; occipitalgia; dor na nuca; dor nos olhos; pterígio; zumbido; epistaxe; sinusite; dor de garganta; dor no braço; epilepsia; mastite; falta de leite pós-parto.

3. Houxi (ID3): ponto Shu, pertence ao elemento Madeira; ponto de Mãe
Localização: no lado ulnar da mão, atrás da articulação metacarpofalangiana do quinto dedo, entre as peles clara e escura (Fig. 29).
Aplicação: agulhar, perpendicularmente, 0,2-0,3 polegada; moxa, 10 a 15 minutos.
Indicações: conjuntivite; pterígio; epistaxe; rigidez e dor na nuca; occipitalgia; dor nas costas; adormecimento no dedo mínimo (quinto dedo) da mão; dor na perna; zumbido; surdez; epilepsia; transpiração noturna; malária.

4. Wangu (mão) (ID4): ponto Xuan
Localização: no lado ulnar da borda da mão, na depressão entre os ossos quinto metacarpo e hamato (Fig. 29).
Aplicação: agulhar, perpendicularmente, 0,5-1 polegada; moxa, 10 minutos.
Indicações: artrite no braço, na mão e nos dedos; dor de cabeça e nuca; rigidez na nuca; zumbido; pterígio; febre e icterícia.

5. Yanggu (ID5): ponto Jing, pertence ao elemento Fogo
Localização: no lado ulnar do punho, na depressão entre o pisiforme e o processo estiloide da ulna (Fig. 29).
Aplicação: agulhar, perpendicularmente, 0,3-0,5 polegada; moxa, 10 minutos.

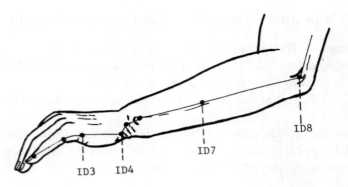

Fig. 29

Indicações: dor de dentes; dor de garganta; gengivite; estomatite; artrite no temporomandibular; zumbido; surdez; distúrbio mental.

6. Yanglao (ID6): ponto Xi

Localização: na fossa formada entre o dedão do músculo flexor ulnar do carpo e o processo estiloide da ulna (Fig. 29).
Aplicação: agulhar, perpendicular ou obliquamente, 0,2-0,3 polegada; moxa, 15 minutos.
Indicações: distúrbio da visão; paralisia no braço e na mão; dor lombar; torsão no tornozelo.

7. Zhizheng (ID7): ponto Lo

Localização: 5 polegadas acima do punho, no lado ulnar do músculo extensor ulnar do carpo (Fig. 29).
Aplicação: agulhar 0,3-0,8 polegada; moxa, 15 minutos.
Indicações: rigidez na nuca; dor de cabeça; dor no braço e nos dedos; tontura; distúrbio mental.

8. Xiaohai (ID8): ponto Ho, pertence ao elemento Terra; ponto de Filho

Localização: na fossa entre o olecrânio e o epicôndilo medial do úmero na borda lateral do nervo radial (Figs. 29 e 30).
Aplicação: agulhar, perpendicularmente, 0,2-0,3 polegada; moxa, 15 minutos.
Indicações: dor de cabeça; tontura; dor de dentes; gengivite; dor no ombro, braço, antebraço e mão, no lado ulnar.

9. Jianzhen (ID9)

Localização: na região posteroinferior da articulação dos ombros, no lado posteroinferior do músculo grande dorsal; ao se colocar o braço perpen-

dicularmente ao tronco, o ponto fica no lado posteroinferior do ombro, 1 polegada acima do ponto no fim da linha axilar (Fig. 30).
Aplicação: agulhar, perpendicularmente, 0,5-1,5 polegada; moxa, 15 minutos.
Indicações: bursite no ombro; dor no braço; zumbido; surdez; braquialgia.

10. Naoshu (ID10)

Localização: no lado posterior da articulação do ombro, na borda do osso espinha-escapular, em cima do músculo deltoide (Fig. 30).
Aplicação: agulhar, perpendicularmente, 0,5-1 polegada; moxa, 15 minutos.
Indicações: bursite no ombro; braquialgia; hemiplegia; hipertensão.

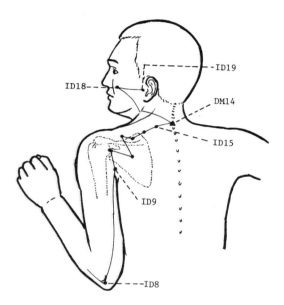

Fig. 30

11. Tianzong (ID11)

Localização: no centro da fossa infraescapular entre o músculo infraescapular; com Naoshu (ID10) e Jianzhen (ID9) forma um triângulo equilátero (Fig. 30).
Aplicação: agulhar, perpendicularmente, 0,5-1 polegada; moxa, 15 minutos.
Indicações: braquialgia; dor no ombro, no peito e nas costas; mastite; falta de leite pós-parto; tosse.

12. Binfeng (ID12)

Localização: na fossa supraescapular no ponto médio da linha entre os pontos Quyuan (ID13) e Jugu (IG16), no lado superior do músculo supraespinhoso (Fig.30).

Aplicação: agulhar, perpendicularmente, 0,5-1 polegada; moxa, 15 minutos.
Indicações: tendinite; bursite do ombro; braquialgia.

13. Quyuan (ID13)

Localização: na borda superior da espinha da escápula onde há uma grande curva, mais ou menos no ponto equidistante entre o ponto Binfeng (ID12) e a borda medial da escápula dentro dos músculos supraespinhoso e trapézio (Fig. 30).
Aplicação: agulhar, perpendicularmente, 0,5-1 polegada; moxa, 15 minutos.
Indicações: tendinite ou bursite no ombro; braquialgia.

14. Jianwaishu (ID14)

Localização: 3 polegadas laterais da linha central da vértebra (T1); no nível horizontal da borda inferior do processo espinhoso da primeira vértebra dorsal (Fig. 30).
Aplicação: agulhar 0,5-1 polegada; moxa, 15 minutos.
Indicações: dor na nuca; torcicolo agudo ou crônico; dor nas costas e nos ombros; braquialgia.

15. Jianzhongshu (ID15)

Localização: 2 polegadas para o lado da linha da coluna vertebral, no nível da sétima vértebra cervical, no lado do músculo eretor da escápula (Fig. 30).
Aplicação: agulhar, perpendicularmente, 0,5-1 polegada; moxa, 15 minutos.
Indicações: dor e rigidez na nuca, nas costas e nos ombros; torcicolo; bronquite; asma.

16. Tianchuang (ID16)

Localização: na borda posterior do músculo esternoclidomastóideo, ao nível da borda inferior da cartilagem tireoide (Fig. 31).
Aplicação: agulhar, perpendicularmente, 0,3-0,6 polegada; moxa, 10 minutos.
Indicações: torcicolo; dor e rigidez na nuca; dor de garganta; zumbido.

17. Tianrong (ID17)

Localização: no lado anterior do músculo esternoclidomastóideo, na borda posteroinferior do ângulo da mandíbula (Fig. 31).
Aplicação: agulhar, perpendicularmente, 0,3-0,6 polegada; moxa, 10 minutos.
Indicações: amigdalite; laringite; parotidite; voz rouca; dor na nuca; zumbido; surdez.

18. Quanliao (ID18)

Localização: na borda inferior do processo do osso zigomático maxilar no nível inferior do nariz e na linha vertical da comissura lateral da pálpebra (Fig. 31).

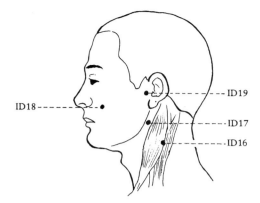

Fig. 31

Aplicação: agulhar, perpendicularmente, 0,3-0,5 polegada; moxa, 10 minutos.
Indicações: trigeminalgia; dor de dentes; paralisia facial.

19. Tinggong (ID19)

Localização: na frente do ouvido, na depressão logo atrás da articulação da mandíbula quando a boca está aberta (Fig. 31).
Aplicação: agulhar 0,5-1 polegada; moxa, 10 minutos.
Indicações: zumbido; surdez; otite; voz rouca; afasia.

O meridiano da bexiga, Tai-Yang da perna

Este meridiano recebe a energia do meridiano do intestino delgado e a transmite ao meridiano do rim.

Sua natureza é Yang, apresentando-se acoplado ao meridiano do rim que é Yin. Pertence ao elemento Água; sua Mãe é do elemento Metal (o meridiano do intestino grosso) e seu Filho é de Madeira (o meridiano da vesícula biliar).

Tem 67 pontos de cada lado.

I. Trajetória

O meridiano da bexiga tem seu início no ângulo medial dos olhos, subindo pela região frontal, parietal e occipital da cabeça. Tem um ramal que desce da região parietal para o ouvido, retomando o trajeto principal na fossa suboccipital.

Possui outro ramal que, saindo da parte mais alta e superficial da cabeça, se introduz no cérebro, voltando ao trajeto principal na fossa suboccipital (no ponto Tianzhu (B10)).

Da nuca, ao longo dos músculos paravertebrais, o trajeto principal desce pelas costas até a região sacroilíaca, pela nádega, por trás da coxa, até a fossa poplítea. Há um ramal nas costas que se liga aos rins e depois à bexiga, descendo pelo lado da virilha e por detrás da coxa até a fossa poplítea.

Da nuca sai outro ramal, que, descendo pelo lado medial da escápula e pelo lado dos músculos iliocostais até a nádega, liga-se com o meridiano da vesícula biliar no ponto Huantiao (VB30); atrás da região trocanteriana, desce pelo lado do músculo bíceps femural até a fossa poplítea.

Da fossa poplítea, o meridiano da bexiga desce entre os músculos atrás da perna pelo lado do tendão calcâneo e pela borda do maléolo lateral do pé, até a borda lateral do quinto dedo do pé (Fig. 32).

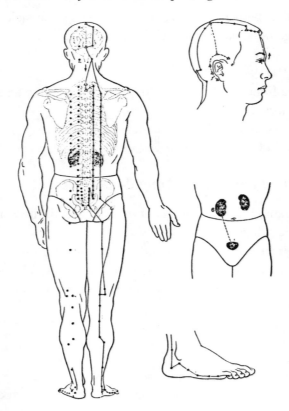

Fig. 32

II. Sintomatologia

1. *Sintomas principais*
   A. *Nuca e costas*: lombalgia; dor nas costas; rigidez na nunca e nas costas; dor ciática; dor na região iliossacra.

B. *Dor de cabeça*: frontal; parietal; occipital.
C. *Nariz*: obstrução nasal; coriza; distúrbio do olfato; epistaxe.
D. *Olho*: dor no olho; dor supraorbital.
E. *Sistema urinário*: infecção; distúrbio da micção.

2. *Sintomas e sinais de excesso de energia*: dor de cabeça; dor e rigidez na nuca; dor aguda nas costas, lombar e na perna; febre; comportamento maníaco.

3. *Sintomas e sinais de depleção energética*: frio nas costas; dor nas costas com irradiação para a perna; adormecimento ou formigamento da perna ao longo de seu trajeto.

III. Os pontos do meridiano da bexiga

1. Jingming (B1)
Localização: 0,1 polegada do lado médio superior do ângulo medial do olho.
Aplicação: agulhar, perpendicular ou obliquamente, 0,2-0,5 polegada, ao lado do osso (Fig. 33).
Indicações: qualquer doença dos olhos, como conjuntivite, pterígio etc.

2. Zanzhu (B2)
Localização: na depressão medial do início da sobrancelha (Fig. 33).
Aplicação: agulhar, perpendicularmente, 0,2-0,3 polegada ou obliquamente para baixo ao longo da borda supraorbital.
Indicações: dor de cabeça; tontura; doença dos olhos; paralisia facial; sinusite e rinite.

3. Meichong (B3)
Localização: em cima da linha vertical do ponto Zanzhu (B2); 0,5 polegada em cima da linha do cabelo (Fig. 33).
Aplicação: agulhar, obliquamente, 0,3-0,5 polegada.
Indicações: dor de cabeça; tontura; obstrução nasal; distúrbio do olfato; excesso de lacrimejamento; conjuntivite; problemas de visão; epilepsia; catarata.

4. Quchai (B4)
Localização: na linha vertical, 1,5 polegada lateral da linha central, 0,5 polegada acima da linha do cabelo (Fig. 33).
Aplicação: agulhar, obliquamente, 0,3-0,5 polegada.

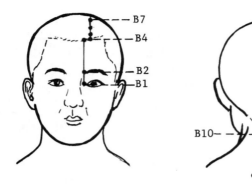

Fig. 33

Indicações: dor de cabeça frontal; obstrução nasal; epistaxe; problemas de visão.

5. Wuchu (B5)
Localização: 0,5 polegada acima do Quchai (B4) (Fig. 33).
Aplicação: igual à do ponto Quchai (B4).
Indicações: dor de cabeça; perturbação da visão; epilepsia; tétano.

6. Chengguang (B6)
Localização: 1,5 polegada acima (ou atrás) do Wuchu (B5) (Fig. 33).
Aplicação: igual à do ponto Quchai (B4).
Indicações: dor de cabeça; tontura; resfriado; distúrbio da visão; pterígio; glaucoma; miopia.

7. Tungtian (B7)
Localização: 1,5 polegada posterior ao Chengguang (B6) (Fig. 33).
Aplicação: igual à do ponto Quchai (B4).
Indicações: dor de cabeça; sinusite; rinite; epistaxe; distúrbio do olfato; polipose nasal; rigidez na nuca; tontura.

8. Luoque (B8)
Localização: 1,5 polegada atrás do Tungtian (B7) (Fig. 33).
Aplicação: igual à do ponto Tungtian (B7).
Indicações: dor de cabeça parietal; tontura ou vertigem; zumbidos; obstrução nasal; paralisia facial; visão turva; glaucoma.

9. Yuzhen (B9)
Localização: na lateral, 1,3 polegada da protuberância occipital (no nível superior) (Fig. 33).

Aplicação: agulhar, obliquamente, 0,3-0,5 polegada.
Indicações: cefaleia (occipital, parietal ou oftálmica); tontura; miopia; obstrução nasal; distúrbio do olfato.

10. Tianzhu (B10)
Localização: no nível entre as espinhas da segunda e terceira vértebras, 1,3 polegada lateral da linha média dorsal, no lado da borda do músculo trapézio (Fig.33).
Aplicação: agulhar, perpendicularmente, 0,5-1 polegada.
Indicações: dor de cabeça occipital; occipito-temporal; enxaqueca; dor na testa (oftálmica); torcicolo; rigidez e dor na nuca; tonteira; vertigem; insônia; visão turva; faringite; dor nas costas e nos ombros; obstrução nasal; distúrbio do olfato; rinite.

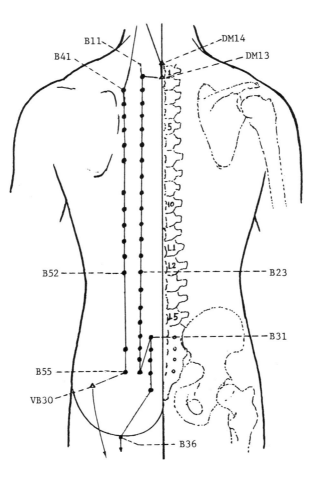

Fig. 34

11. Dashu (B11)

Localização: 1,5 polegada, na borda inferior do processo espinhoso da primeira vértebra dorsal (Fig. 34).

Aplicação: agulhar, perpendicularmente, 0,3-0,5 polegada; moxa, 15 minutos.

Indicações: gripe; resfriado; tosse; rigidez e dor na nuca; dor nas costas e nos ombros; dor no joelho; dor de garganta.

12. Fengmen (B12)

Localização: 1,5 polegada, na borda inferior do processo espinhoso da segunda vértebra dorsal (Fig. 34).

Aplicação: igual à do ponto Dashu (B11).

Indicações: febre; cefaleia; tosse; rigidez na nuca; dor nas costas; pneumonia; bronquite; urticária; sonolência.

13. Feishu (B13)

Localização: na linha vertical, entre a linha central do processo espinhoso e a borda medial da escápula, 1,5 polegada no lado da linha central das costas, no nível da borda inferior do processo espinhoso da vértebra do terceiro dorsal (T3) (Fig. 34).

Aplicação: agulhar 0,3-0,5 polegada; moxa, 15 minutos.

Indicações: tosse; pneumonia; bronquite; dispneia; asma; tuberculose pulmonar; dor nas costas; dermatite; prurido.

14. Jueyinshu (B14)

Localização: na mesma linha do ponto Feishu (B13), no nível da borda inferior do processo espinhoso da vértebra (T4) (Fig. 34).

Aplicação: igual à do ponto Feishu (B13).

Indicações: dor no peito; nevralgia intercostal; dor de dentes; soluço; pericardite; formigamento e frio na região distal dos membros.

15. Xinshu (B15)

Localização: no nível da borda inferior do processo espinhoso da vértebra (T5), na mesma linha vertical do ponto Feishu (B13) (Fig. 34).

Aplicação: igual à do ponto Feishu (B13).

Indicações: problemas do coração; náuseas e vômitos; dor no peito; ansiedade; epilepsia; esquizofrenia; falta de memória.

16. Dushu (B16)

Localização: 1,5 polegada da linha central no nível da borda inferior do processo espinhoso da vértebra (T6) (Fig. 34).

Aplicação: igual à do ponto Feishu (B13).

Indicações: endocardite; dor no peito (intercostalgia); dor no abdômen; soluço; queda de cabelos; pruridos; borborigmo.

17. Geshu (B17)

Localização: 1,5 polegada da linha central, no nível da borda inferior do processo espinhoso da vértebra (T7) (Fig. 34).

Aplicação: igual à do ponto Feishu (B13).

Indicações: hemopatias (como problemas hemorrágicos, anemia); soluço; dor no peito; dor de barriga; falta de apetite; náuseas; sonolência e falta de ânimo; febre; suor noturno; neurose; histeria; taquicardia; tuberculose pulmonar.

18. Ganshu (B18)

Localização: na mesma linha vertical do Geshu (B17), no nível da borda inferior do processo espinhoso da vértebra (T9) (Fig. 34).

Aplicação: igual à do ponto Feishu (B13).

Indicações: hepatite; hepatomegalia; cirrose; colecistite; problemas do tendão e olho; dor nas costas; nevralgias; diabetes; furunculose; linfoadenite; qualquer problema no órgão genital; esquizofrenia.

19. Danshu (B19)

Localização: 1,5 polegada, no lado lateral da borda inferior do processo espinhoso da vértebra (T10) (Fig. 34).

Aplicação: igual à do ponto Ganshu (B18).

Indicações: hepatite; colecistite; dor nas costas; boca amarga; falta de apetite; náuseas e vômito; tuberculose pulmonar.

20. Pishu (B20)

Localização: 1,5 polegada, lateral da linha central das costas, no nível da borda inferior do processo espinhoso da vértebra (T11) (Fig. 34).

Aplicação: agulhar, perpendicularmente, 0,3-0,5 polegada; moxa, 15 a 40 minutos.

Indicações: anorexia; dor no estômago; úlcera péptica; magreza; hepatite; cirrose; dispepsia; regurgitamento; diarreia crônica; distensão.

21. Weishu (B21)

Localização: 1,5 polegada, lateral da borda inferior do processo espinhoso da vértebra (T12) (Fig. 34).

Aplicação: igual à do ponto Pishu (B20).

Indicações: gastralgia; úlcera péptica; distensão gástrica; dispepsia; anorexia; náuseas e vômito; regurgitação; borborigmo; magreza.

22. Sanjiaoshu (B22)
Localização: 1,5 polegada, lateral da borda inferior do processo espinhoso da vértebra (L1) (Fig. 34).
Aplicação: igual à do ponto Pishu (B20).
Indicações: diabetes melito; anorexia; dispepsia; indigestão; diarreia; distensão abdominal; borborigmo; ascite; edema do corpo; oligúria; lombalgia.

23. Shenshu (B23)
Localização: 1,5 polegada, lateral da borda inferior do processo espinhoso da vértebra (L2) (Fig. 34).
Aplicação: agulhar, 0,5-1,5 polegada perpendicular ou obliquamente para o lado lateral até o ponto Zhishi (B52); moxa, 10 a 30 minutos.
Indicações: nefrite, infecção urogenital; enurese noturna; impotência; lombalgia; edema; diabetes melito; dismenorreia; neurastenia.

24. Quihaishu (B24)
Localização: 1,5 polegada, lateral da borda inferior do processo espinhoso da vértebra (L3) (Fig. 34).
Aplicação: igual à do ponto Shenshu (B23).
Indicações: lombalgia; hemorroida.

25. Dachangshu (B25)
Localização: 1,5 polegada, lateral da borda inferior do processo espinhoso da vértebra (L4) (Fig. 34).
Aplicação: agulhar, perpendicularmente, 0,5-1 polegada; moxa, 15 a 30 minutos.
Indicações: lombalgia; dor de barriga; borborigmo; distensão abdominal; diarreia ou constipação.

26. Guanyuanshu (B26)
Localização: 1,5 polegada, lateral da borda inferior do processo espinhoso da vértebra (L5) (Fig. 34).
Aplicação: igual à do ponto Dachangshu (B25).
Indicações: distensão abdominal; diarreia; disúria; lombalgia.

27. Xiaochanshu (B27)
Localização: 1,5 polegada, lateral da linha central das costas e no nível do primeiro forame sacral posterior (Fig. 34).

Aplicação: agulhar, perpendicularmente, 0,5-1 polegada; moxa, 15 a 30 minutos.

Indicações: disenteria; hematúria; leucorreia; anexite; enurese; prostatite; hemorroidas; dor nas articulações iliossacrais; lombalgia.

28. Pangguangshu (B28)

Localização: na borda lateral, 1,5 polegada do dorso (linha central das costas) no nível do segundo forame posterior do sacro (Fig. 34).

Aplicação: agulhar, perpendicularmente, 0,5-1 polegada; moxa, 30 minutos.

Indicações: qualquer problema da bexiga; enurese noturna; dor ou infecção do órgão genital; disúria; dor lombar ou lombossacra; frieza dos membros; constipação.

29. Zunglushu (B29)

Localização: 1,5 polegada, lateral da linha média do abdômen, ou seja, do meridiano (Du-Mai), no nível do terceiro forame posterior do sacro (Fig. 34).

Aplicação: igual à do ponto Pangguangshu (B28).

Indicações: dor na região lombossacra e ciática; disenteria; hérnia.

30. Baihuanshu (B30)

Localização: 1,5 polegada, da linha média do abdômen, ou seja, do meridiano (Du-Mai), no nível do quarto forame posterior do sacro (Fig. 34).

Aplicação: igual à do ponto Pangguangshu (B28).

Indicações: dor na região sacroilíaca; dor ciática; disúria ou enurese; constipação; leucorreia; menorragia; infecção urogenital.

31. Shangliao (B31)

Localização: no primeiro forame posterior do sacro; entre o meridiano (Du-Mai) e espinha posterior do osso ilíaco (Fig. 34).

Aplicação: agulhar, perpendicularmente, 1-1,5 polegada; moxa, 10 a 15 minutos.

Indicações: distúrbio urogenital; distúrbio de micção e defecação; dor na região lombossacra e joelho; dor ciática; leucorreia; dismenorreia; impotência.

32. Ciliao (B32)

Localização: no segundo forame posterior do sacro (Fig. 34).

Aplicação: igual à do ponto Shangliao (B31).

Indicações: iguais às do ponto Shangliao (B31).

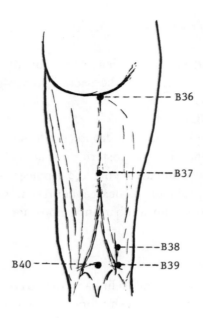

Fig. 35

33. Zongliao (B33)
Localização: no terceiro forame posterior do sacro (Fig. 34).
Aplicação: igual à do ponto Shangliao (B31).
Indicações: iguais às do ponto Shangliao (B31).

34. Xialiao (B34)
Localização: no quarto forame posterior do sacro (Fig. 34).
Aplicação: igual à do ponto Shangliao (B31).
Indicações: iguais às do ponto Shangliao (B31).

35. Huiyang (B35)
Localização: 0,5 polegada lateral da linha central, no nível da borda inferior do osso coccígeo (Fig. 34).
Aplicação: agulhar, perpendicularmente, 1-1,5 polegada; moxa, 10 minutos.
Indicações: dismenorreia e dor lombar; leucorreia; impotência; hemorroidas; dor na perna.

36. Chengfu (B36)
Localização: no ponto médio da linha glútea; na borda inferior do músculo glúteo máximo; na linha média vertical da coxa posterior (Figs. 34 e 35).
Aplicação: agulhar, 1-1,5 polegada, até a fáscia do músculo.
Indicações: dor ciática; hemorroidas; constipação; disúria; dor genital.

37. Yinmen (B37)

Localização: na linha média vertical da coxa posterior, entre os músculos bíceps femural e semitendinoso, 6 polegadas acima da fossa poplítea (Fig. 35).
Aplicação: agulhar, perpendicularmente, 1-2 polegadas.
Indicações: lombalgia e dor ciática; paralisia da perna; inchaço da perna.

38. Fuxi (B38)

Localização: no lado medial do músculo bíceps femural, 1 polegada acima do Weiyang (B39) (Fig.35).
Aplicação: agulhar, perpendicularmente, 0,5-1 polegada.
Indicações: cistite; disúria; constipação; dor na coxa, no joelho e na perna.

39. Weiyang (B39)

Localização: na fossa poplítea, na prega poplítea, no lado medial do tendão do músculo bíceps femural (Fig. 35).
Aplicação: agulhar, perpendicularmente, 0,5-0,8 polegada; moxa, 10 minutos.
Indicações: espasmo do músculo gastrocnêmio; dor lombar; prostatite ou hipertrofia benigna da próstata; hemorroidas; inchaço na axila; comportamento maníaco.

40. Weizhong (B40): ponto Ho, pertence ao elemento Terra; ponto de Mãe

Localização: no centro da fossa poplítea, na prega poplítea (Figs. 35 e 36).
Aplicação: agulhar 1-1,5 polegada; evitar moxibustão.
Indicações: dor ciática; lombalgia; paralisia da perna; dor no joelho; A.V.C; hipertranspiração.

41. Fufen (B41)

Localização: 3 polegadas, lateral da linha central, ou linha medial das costas onde se localiza o meridiano Du-Mai, no nível da borda inferior do processo espinhoso da segunda vértebra torácica (T2) (Fig. 34).
Aplicação: agulhar, obliquamente, 0,3-0,8 polegada; moxa, 10 minutos.
Indicações: dor e rigidez na nuca; braquialgia.

42. Pohu (B42)

Localização: 3 polegadas, lateral da linha central, ou linha medial das costas onde se localiza o meridiano Du-Mai, na linha vertical formada pela borda medial do osso escápula, com o nível inferior da borda do processo espinhoso da terceira vértebra torácica (T3) (Fig. 34).
Aplicação: igual à do ponto Chengfu (B36).

Indicações: bronquite; asma; pleurite; dor e rigidez na nuca; dor nas costas e no ombro.

43. Gaohuangshu (B43)

Localização: 3 polegadas, lateral da linha central, ou linha medial das costas onde se localiza o meridiano Du-Mai, no nível da borda inferior do processo espinhoso da quarta vértebra torácica (T4) (Fig. 34).
Aplicação: agulhar, obliquamente, 0,3-0,8 polegada; moxa, 10 a 15 minutos.
Indicações: bronquite; tuberculose pulmonar; pleurite; nevralgia intercostal; dor nas costas; fraqueza geral.

44. Shengtan (B44)

Localização: 3 polegadas, lateral da linha central, ou linha medial das costas onde se localiza o meridiano Du-Mai, no nível da borda inferior do processo espinhoso da quinta vértebra torácica (T5) (Fig. 34).
Aplicação: igual à do ponto Chengfu (B36).
Indicações: tosse; asma; nevralgia intercostal; dor e rigidez nas costas.

45. Yixi (B45)

Localização: 3 polegadas, lateral da linha central, ou linha medial das costas onde se localiza o meridiano Du-Mai, no nível da borda inferior do processo espinhoso da sexta vértebra torácica (T6) (Fig. 34).
Aplicação: igual à do ponto Chengfu (B36).
Indicações: tosse; bronquite; dor nas costas e escápulas; tontura; soluço; pericardite.

46. Geguan (B46)

Localização: 3 polegadas, lateral da linha central, ou linha medial das costas onde se localiza o meridiano Du-Mai, no nível da borda inferior do processo espinhoso da sétima vértebra torácica (T7) (Fig. 34).
Aplicação: igual à do ponto Chengfu (B36).
Indicações: nevralgia intercostal; soluço; vômito; dor e rigidez nas costas; dor no corpo; qualquer problema no sangue.

47. Hunmen (B47)

Localização: 3 polegadas, lateral da linha central, ou linha medial das costas onde se localiza o meridiano Du-Mai, no nível da borda inferior do processo espinhoso da nona vértebra torácica (T9) (Fig. 34).
Aplicação: igual à do ponto Chengfu (B36).

Indicações: moléstias do fígado; pleurite; endocardite; dispepsia; dor nas costas e no coração; dor de barriga e borborigmo; epigastralgia.

48. Yanggang (B48)

Localização: 3 polegadas, lateral da linha central, ou linha medial das costas onde se localiza o meridiano Du-Mai, no nível da borda inferior do processo espinhoso da décima vértebra torácica (T10) (Fig. 34).

Aplicação: igual à do ponto Chengfu (B36).

Indicações: diarreia; dispepsia; icterícia; borborigmo; dor abdominal; cólica biliar.

49. Yishe (B49)

Localização: 3 polegadas, lateral da linha central, ou linha medial das costas onde se localiza o meridiano Du-Mai, no nível da borda inferior do processo espinhoso da décima primeira vértebra torácica (T11) (Fig. 34).

Aplicação: igual à do ponto Chengfu (B36).

Indicações: distensão abdominal; dispepsia; hepatite; cólica biliar; diarreia; dor nas costas; diabetes melito; gastralgia.

50. Weitsang (B50)

Localização: 3 polegadas, lateral da linha central, ou linha medial das costas onde se localiza o meridiano Du-Mai, no nível da borda inferior do processo espinhoso da décima segunda vértebra torácica (T12) (Fig. 34).

Aplicação: igual à do ponto Chengfu (B36).

Indicações: epigastralgia; vômitos; distensão abdominal; constipação; dor lombar.

51. Huangmen (B51)

Localização: 3 polegadas, lateral da linha central, ou linha medial das costas onde se localiza o meridiano Du-Mai, no nível da borda inferior do processo espinhoso da primeira vértebra lombar (L1) (Fig. 34).

Aplicação: igual à do ponto Chengfu (B36).

Indicações: epigastralgia (dor do estômago); constipação; mastite.

52. Zhishi (B52)

Localização: 3 polegadas, lateral da linha central, ou linha medial das costas onde se localiza o meridiano Du-Mai, no nível da borda inferior do processo espinhoso da segunda vértebra lombar (L2) (Fig. 34).

Aplicação: agulhar, perpendicularmente, 0,5-1 polegada; moxa, 10 a 20 minutos.

Indicações: lombalgia; espermatorreia ou ejaculação precoce; impotência; indigestão; edema do corpo; disúria; infecção na área genital.

53. Baohwang (B53)

Localização: 3 polegadas, lateral da linha central, ou linha medial das costas onde se localiza o meridiano Du-Mai, no nível do segundo forame posterior do sacro, na borda lateral da articulação sacroilíaca (Fig. 34).
Aplicação: agulhar, perpendicularmente, 0,5-1 polegada; moxa, 10 a 15 minutos.
Indicações: dificuldade de evacuação e micção; paralisia da bexiga; inflamação urogenital; lombalgia; dor ciática.

54. Zhibean (B54)

Localização: 3 polegadas, lateral da linha central, ou linha medial das costas onde se localiza o meridiano Du-Mai, no nível do quarto forame posterior do sacro, na linha inferior da origem do músculo piriforme (Fig.34).
Aplicação: agulhar, perpendicularmente, 1-2 polegadas; moxa, 15 a 20 minutos.
Indicações: dor na região lombossacra; dor ciática; paralisia ou adormecimento da perna; dor genital; paralisia da bexiga; cistite; disúria.

55. Heyang (B55): ponto Xi de sangue

Localização: 2 polegadas abaixo da prega poplítea (do ponto Weizhong (B40)), entre a cabeça medial e lateral do músculo gastrocnêmio (Fig. 36).
Aplicação: agulhar, perpendicularmente, 0,5-1 polegada; moxa, 10 a 15 minutos.
Indicações: lombalgia; dor na perna; leucorreia; hérnia.

56. Chengjin (B56)

Localização: no meio entre os pontos Heyang (B55) e Chengshan (B57); por entre o músculo gastrocnêmio (Fig. 36).
Aplicação: agulhar 0,5-1 polegada; moxa, 10 a 15 minutos.
Indicações: lombalgia; torção do músculo da perna; cãibra; hemorroidas.

57. Chengshan (B57)

Localização: no meio entre os pontos Weizhong (B40) e o calcanhar, 8 polegadas abaixo do ponto Weizhong (B40) (Fig. 36).
Aplicação: agulhar, perpendicularmente, 0,5-1 polegada; moxa, 10 a 15 minutos.

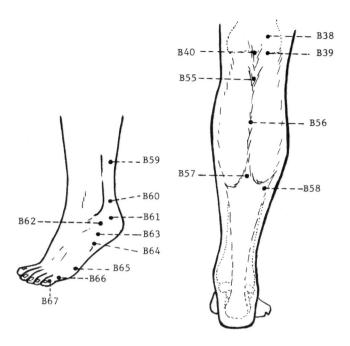

Fig. 36

Indicações: cãibra na perna; lombalgia; hemorroidas; torção da perna; anorexia.

58. Feiyang (B58): ponto Lo
Localização: 1 polegada abaixo do lado lateral do ponto Chengshan (B57); 7 polegadas acima do calcanhar, no lado lateral do tendão do músculo gastrocnêmio (Fig. 36).
Aplicação: agulhar 0,5-1 polegada; moxa, 10 minutos.
Indicações: lombalgia; dor na perna; epilepsia; gota; oftalmalgia.

59. Fuyang (B59)
Localização: na borda lateral do tendão calcâneo, 3 polegadas acima do maléolo lateral do tornozelo (Fig. 36).
Aplicação: agulhar, perpendicularmente, 0,5-1 polegada; moxa, 10 a 15 minutos.
Indicações: dor na região lombossacra; cefaleia; torção ou artrite no tornozelo; dor e fraqueza nas pernas.

60. Kunlun (B60): ponto Jing, pertence ao elemento Fogo
Localização: entre o tendão calcâneo e a borda do maléolo lateral do tornozelo, no nível do ponto mais alto do maléolo (Fig. 36).

Aplicação: agulhar, perpendicularmente, 0,5-0,8 polegada; moxa, 10 minutos.
Indicações: dor de cabeça; rigidez na nuca; lombalgia; dor ciática; dor no cóccix; dor e inchaço no tornozelo; distúrbio do parto.

61. Pushen (B61)

Localização: 1,5 polegada inferior e posterior do maléolo externo, abaixo do ponto Kunlun (B60) (Fig. 36).
Aplicação: agulhar 0,3-0,5 polegada.
Indicações: dor no calcanhar; fraqueza ou paralisia da perna; lombalgia; epilepsia.

62. Shenmai (B62)

Localização: 0,5 polegada abaixo do maléolo externo, na depressão inferior do maléolo (Fig. 36).
Aplicação: agulhar 0,3-0,5 polegada.
Indicações: dor de cabeça; dor lombossacra; dor e inchaço no tornozelo; epilepsia; tontura e vertigem.

63. Jinmen (B63): ponto Xi

Localização: no lado anterior e posterior do ponto (B62), na depressão posterior da articulação calcâneo-cuboide (Fig. 36).
Aplicação: agulhar 0,3-0,5 polegada; moxa, 10 minutos.
Indicações: epilepsia; vertigem; surdez; dor no calcanhar.

64. Jinggu (B64): ponto Yuan

Localização: na borda posterior e inferior da tuberosidade do quinto metatarso (Fig. 36).
Aplicação: igual à do ponto Shugu (B65).
Indicações: dor nas costas e pernas; tontura; vertigem; epilepsia; cefaleia; rigidez e dor na nuca.

65. Shugu (B65): ponto Shu, pertence ao elemento Madeira

Localização: na borda posteroinferior da articulação do quinto metatarso, no limite formado pela epiderme dorsal e plantar (Fig. 36).
Agulhar, perpendicularmente, 0,2-0,5 polegada (*tsun*) de profundidade.
Indicações: dor de cabeça e nuca; rigidez na nuca; dor lombar; dor na perna; dor na região oftalmo-frontal; conjuntivite; hemorroidas; epilepsia.

66. Tonggu (B66): ponto Ying, pertence ao elemento Água

Localização: na depressão anterior e inferior da articulação do quinto metatarso (Fig. 36).

Aplicação: agulhar 0,1-0,3 polegada.

Indicações: dor de cabeça; epistaxe; tontura; dispepsia.

67. Zhiyin (B67): ponto Jin, pertence ao elemento Metal

Localização: 0,1 polegada na borda lateral e proximal do ângulo ungueal do quinto dedo do pé (Fig. 36).

Aplicação: agulhar, obliquamente, 0,1-0,2 polegada, ou agulhar para sangrar; moxa, 10 a 20 minutos; não aplicar moxa em mulheres grávidas.

Indicações: má posição do feto; dificuldade de parto; alergia na pele ou urticária; coceira na pele; cefaleia e dor na perna; comportamento maníaco.

O meridiano dos rins, o Chao-Yin da perna

Sendo Yin, este meridiano se apresenta acoplado ao meridiano da bexiga, Yang, de quem recebe a energia que, posteriormente, transmite ao meridiano do pericárdio.

Em relação aos cinco elementos, é de Água; sua Mãe é o meridiano do pulmão (Metal) e seu Filho o meridiano do fígado (Madeira).

Tem 27 pontos de cada lado.

I. Trajetória

O meridiano dos rins começa na planta do pé e ascende, pelo lado inferomedial da cabeça do primeiro metatarso, seguindo pelo lado medial do osso cuboide, região posteroinferior do maléolo medial e ao longo da borda medial do músculo gastrocnêmio, na região posteromedial do joelho e, medialmente à coxa, ao longo dos músculos adutor e grácil, entre a pélvis e ventralmente às vértebras até o rim.

O trajeto tem seu início no rim, desce pelo lado do músculo psoas até a pélvis e a bexiga. Saindo da pélvis, corre ao longo do lado medial do músculo retoabdominal (ao lado da linha alba) e do externo até a frente do pescoço.

Há um ramal que sai do rim, sobe, passando pelo diafragma e segue paralelo ao pulmão, ao longo da traqueia e da garganta, até a raiz da língua.

Outro ramal sai do pulmão, une-se ao coração e, passando pelo peito, liga-se ao pericárdio, de onde transmite energia ao meridiano do pericárdio (Fig.37).

II. Sintomatologia

1. *Sintomas principais*
   A. *Resistência geral*: cansaço; pouca resistência; queda do nível da ambição; boca e garganta secas.

B. *Adrenal e genital*: impotência; esterilidade; distúrbio do crescimento; tendência à velhice; hiperpigmentação.
C. *Ossos e cérebro*: distúrbio de desenvolvimento de dentes e ossos; instabilidade dos dentes; retardamento mental; esquizofrenia.
D. *Cabelo*: queda ou ausência de cabelo; falta de brilho no cabelo.
E. *Ouvido*: zumbido; surdez; vertigem.
F. *Distúrbios urogenitais*: formação de cálculos; oligúria ou poliuria.

2. *Sinais e sintomas de excesso de energia*: sede e ardência na boca; distensão abdominal; diarreia.

3. *Sinais e sintomas de depleção energética*: espermatorreia; impotência; lombalgia; frio nos ombros; queda de cabelos; enfraquecimento dos dentes; zumbido ou dificuldade de audição; oligúria; edema e ascite; insônia; distúrbio mental.

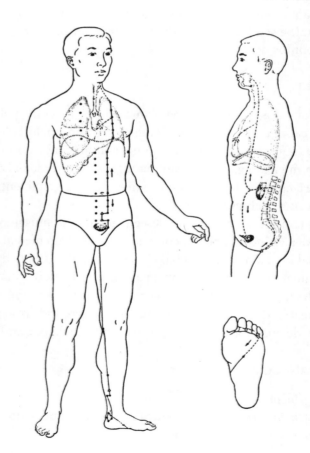

Fig. 37

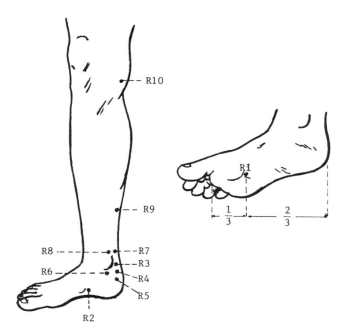

Fig. 38

III. Os pontos do meridiano dos rins

1. Yongguan (R1): ponto Jin, pertence ao elemento Madeira; ponto de Filho
Localização: na planta do pé, posteriormente às articulações metatarsofalangianas, entre o segundo e o terceiro metatarsos (Fig. 38).
Aplicação: agulhar, perpendicularmente, 0,5 polegada; moxa, 10 minutos.
Indicações: cefaleia parietal; metatarsalgia; tontura; vertigem; coma; convulsão infantil; comportamento maníaco (fobia); insônia; nefrite; uremia; diabetes.

2. Rangu (R2): ponto Ying, pertence ao elemento Fogo
Localização: na borda anteroinferior do osso navicular do pé (Fig. 38).
Aplicação: agulhar, perpendicularmente, 0,5-1 polegada.
Indicações: dor no pé; laringite; hipertranspiração noturna; prostatite; distúrbios dos órgãos genitais; impotência; menstruação irregular; tétano de recém-nascido; cistite; diabetes melito.

3. Taixi (R3): ponto Shu, pertence à Terra
Localização: entre a borda posterior do maléolo medial e o tendão calcâneo (Fig.38).

Aplicação: agulhar, perpendicularmente, 0,5-1 polegada, ou 0,3-0,5 polegada obliquamente ao lado posterior do maléolo.

Indicações: dor de dentes; laringite; estomatite; mastite; impotência; dismenorreia; dor na perna, no tornozelo e no pé; frio nos ombros; malária; nefrite; metatarsalgia.

4. Dazhong (R4): ponto Lo

Localização: 0,5 polegada abaixo do ponto Taixi (R3), na frente do tendão calcâneo (Fig. 38).

Aplicação: agulhar, perpendicularmente, 0,2-0,5 polegada; moxa, 10 minutos.

Indicações: estomatite; laringite; asma; hipertrofia prostática; lombalgia; dor no calcanhar; constipação; sonolência e preguiça.

5. Shuiguan (R5): ponto Xi

Localização: na borda posterior do maléolo medial, 1 polegada abaixo do ponto Taixi (R3), na depressão anterosuperior do lado medial do tubérculo do calcâneo (Fig. 38).

Aplicação: igual à do ponto Dazhong (R4).

Indicações: leucorreia; prolapso uterino; endometrite; menstruação irregular; diurese; miopia.

6. Zhaohai (R6)

Localização: na depressão entre o maléolo medial e o osso tálus; 0,4 polegada inferior da borda do maléolo medial (Fig. 38).

Aplicação: agulhar, perpendicularmente, 0,2-0,5 polegada; moxa, 10 a 15 minutos.

Indicações: menstruação irregular; prolapso uterino; amigdalite; constipação; cólica abdominal; diarreia crônica de madrugada; insônia.

7. Fuliu (R7): ponto Jing, pertencente ao Metal; ponto de Mãe

Localização: 2 polegadas acima do Taixi (R3); na borda anteromedial do músculo sólium (Fig. 38).

Aplicação: agulhar, perpendicularmente, 0,5-1 polegada; moxa, 15 a 30 minutos.

Indicações: inchaço dos membros; edema; ascite; hipertranspiração noturna; lombalgia; nefrite; orquite; uretrite.

8. Jiaoxin (R8): ponto Xi

Localização: 2 polegadas acima do Taixi (R3), 0,5 polegada na frente do Fuliu (R7), na borda posterior da tíbia (Fig. 38).

Aplicação: agulhar, perpendicularmente; 0,5-1 polegada; moxa, 10 a 15 minutos.

Indicações: menstruação irregular; menorragia funcional; prolapso uterino; disenteria; constipação; orquite; uretrite.

9. Zhubin (R9): ponto Xi

Localização: 5 polegadas acima do ponto Taixi (R3), na borda anteromedial do músculo sólium (Fig. 38).

Aplicação: agulhar, perpendicularmente, 0,5-1 polegada; moxa, 10 minutos.

Indicações: espasmo do músculo sólium e gastrocnêmio; comportamento maníaco; epilepsia; desintoxicação.

10. Yingu (R10): ponto Ho, pertence ao elemento Água

Localização: no lado medial da prega poplítea, entre os músculos semitendinoso e semimembranoso (Fig. 38).

Aplicação: agulhar 0,5-1 polegada; moxa, 10 a 15 minutos.

Indicações: dor no joelho; edema na perna; ascite; distúrbio urogenital; disúria; hemorragia uterina; dor genital; comportamento maníaco.

11. Henggu (R11)

Localização: na borda superior do osso púbis; 0,5 polegada lateralmente à linha central (Fig. 39).

Aplicação: moxa, 15 minutos; evitar a agulha.

Indicações: problemas nos órgãos genitais; disúria; conjuntivite; impotência.

12. Dahe (R12)

Localização: 1 polegada acima do ponto Henggu (R11), 0,5 polegada no lado do ponto Zhongji (RM3), na linha central (Fig. 39).

Aplicação: agulhar, 0,3-0,5 polegada, até a fáscia do músculo retoabdominal; moxa, 10 a 15 minutos.

Indicações: dor nos órgãos genitais; disúria; uretrite; cistite; conjuntivite; lombalgia; espermatorreia; impotência; hérnia direta.

13. Qixue (R13)

Localização: 2 polegadas acima da borda suprapúbica (3 polegadas abaixo do nível umbilical) e 0,5 polegada no lado lateral da linha central e/ou medial do abdômen, na borda medial do músculo retoabdominal (Fig. 39).

Aplicação: igual à do ponto Dahe (R12).

Indicações: distúrbio dos órgãos genitais; menstruação irregular; esterilidade; diarreia.

14. Siman (R14)

Localização: 1 polegada acima do ponto Qixue (R13); 0,5 polegada no lado do ponto Shimen (RM5) (Fig. 39).
Aplicação: igual à do ponto Qixue (R13).
Indicações: menorragia; dismenorreia; menstruação irregular; esterilidade; uretrite; cistite; dor abdominal no umbigo; conjuntivite.

15. Zhongzhu (abdominal) (R15)

Localização: 1 polegada abaixo do nível do umbigo; 0,5 polegada no lado da linha central (Fig. 39).
Aplicação: igual à do ponto Siman (R14).
Indicações: menstruação irregular; dor abdominal; constipação; conjuntivite.

16. Huangshu (R16)

Localização: 0,5 polegada na linha lateral do umbigo, na borda medial do músculo retoabdominal (Fig. 39).
Aplicação: igual à do ponto Siman (R14).
Indicações: cólica periumbilical; constipação; hérnia.

17. Shanggu (R17)

Localização: 2 polegadas acima do Huangshu (R16) (Fig. 39).
Aplicação: igual à do ponto Siman (R14).
Indicações: cólica abdominal; constipação; dor no estômago; anorexia.

18. Shiguan (R18)

Localização: 3 polegadas acima do Huangshu (R16); 0,5 polegada no lado lateral do Jianli (RM11) (Fig. 39).
Aplicação: igual à do ponto Huangshu (R16).
Indicações: dor no estômago; soluço; esterilidade; dor uterina pós-parto; constipação.

19. Yindu (R19)

Localização: 4 polegadas acima do ponto Huangshu (R16); 0,5 polegada do lado lateral do Zhongwan (RM12) (Fig. 39).
Aplicação: igual à do ponto Huangshu (R16).

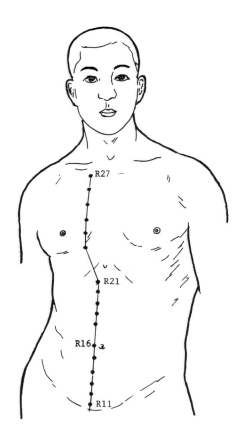

Fig. 39

Indicações: dor no estômago; soluço; esterilidade; dor uterina pós-parto; constipação; distensão abdominal; icterícia.

20. Tonggu (abdômen) (R20)
Localização: 5 polegadas acima do ponto Huangshu (R16); 0,5 polegada no lado da linha central e/ou medial do abdômen (Fig. 39).
Aplicação: igual à do ponto Huangshu (R16).
Indicações: dor no estômago; distensão abdominal; vômito; dispepsia; preguiça.

21. Youmen (R21)
Localização: 6 polegadas acima do Huangshu (R16); 0,5 polegada no lado lateral do Jujue (RM14) (Fig. 39).
Aplicação: igual à do ponto Huangshu (R16).
Indicações: dor no estômago; distensão abdominal; vômito; dispepsia; preguiça; nevralgia intercostal; hepatite.

22. Bulang (R22)

Localização: no quinto espaço intercostal; 2 polegadas lateralmente à linha central do corpo (Fig. 39).
Aplicação: agulhar, perpendicularmente, 0,3-0,5 polegada até a fáscia do músculo; moxa, 15 minutos.
Indicações: nevralgia intercostal; pleurite; bronquite; náusea; vômito.

23. Shenfeng (R23)

Localização: no quarto espaço intercostal; 2 polegadas lateralmente à linha central, na borda do osso esterno (Fig. 39).
Aplicação: igual à do ponto Bulang (R22).
Indicações: iguais às do ponto Bulang (R22).

24. Lingxi (R24)

Localização: no terceiro espaço intercostal; 2 polegadas lateralmente à linha central (Fig. 39).
Aplicação: igual à do ponto Bulang (R22).
Indicações: bronquite; tosse; dor intercostal; mastite; vômito; obstrução nasal.

25. Shentsang (R25)

Localização: no segundo espaço intercostal entre a segunda e a terceira costelas; 2 polegadas lateralmente à linha central (Fig. 39).
Aplicação: igual à do ponto Bulang (R22).
Indicações: tosse; asma; bronquite; pleurite; dor intercostal; dispneia; pneumonia; soluço; vômito.

26. Yuzhung (R26)

Localização: no primeiro espaço intercostal; 2 polegadas lateralmente à linha central da borda lateral do esterno (Fig. 39).
Aplicação: igual à do ponto Bulang (R22).
Indicações: pneumonia; asma; bronquite; dor intercostal; pleurite.

27. Shufu (R27)

Localização: na depressão entre a clavícula e a primeira costela lateralmente à cabeça do esterno (Fig. 39).
Aplicação: agulhar, perpendicularmente, 0,3-0,5 polegada; moxa, 10 a 15 minutos.
Indicações: pneumonia; bronquite; asma; pleurite; dor intercostal; braquialgia; dispneia; vômito.

O meridiano do pericárdio, Jue-Yin do braço

O meridiano do pericárdio é Yin. Recebe energia do meridiano dos rins, transmitindo-a ao meridiano do triplo-aquecedor Yang, ao qual está acoplado.

Em relação aos elementos, este meridiano é de Fogo, de Yin no período de outono e inverno, e de Água durante a primavera e verão.

Tem nove pontos de cada lado.

I. Trajetória

A energia deste meridiano começa no peito; descendo, passa pelo diafragma e se liga a todas as partes do triplo-aquecedor.

Um ramal sai do ponto central da axila e corre ao longo da borda medial do músculo bíceps do braço, entre o meridiano do pulmão e do coração, até o lado medial do cotovelo. Desce, então, ao longo dos tendões dos músculos palmar longo e flexor radial do carpo da mão. Na mão, ele passa entre o terceiro e o quarto metacarpos, no terceiro dedo.

Há um ramal da mão que liga ao quarto dedo (Fig. 40).

II. Sintomatologia

1. *Sintomas principais*

   A. *Circulatório (vascular)*: dor no coração; rubor e calor no rosto; calor na palma da mão; aperto no peito; palpitação.
   B. *Psicossomático*: distensão abdominal; irritabilidade; ansiedade.
   C. *Mental*: Riso incontrolável; desconcentração; deleção; retardamento.
   D. *Braços*: dor e adormecimento no braço ao longo do trajeto do meridiano.

2. *Sintomas e sinais de excesso de energia*: calor e vermelhidão facial; opressão no peito; dor na axila; convulsão infantil; ansiedade; riso incontrolável; dor no coração.

3. *Sintomas e sinais de depleção energética*: palpitação; vexação; desconcentração; retardamento.

III. Os pontos do meridiano do pericárdio

1. Tianchi (PC1)

Localização: no quarto espaço intercostal; 1 polegada para o lado do mamilo, 3 polegadas abaixo da axila (Fig. 41).

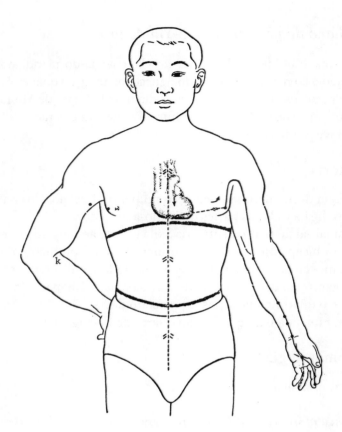

Fig. 40

Aplicação: agulhar, obliquamente, 0,3-05 polegada; moxa, 10 a 15 minutos.
Indicações: opressão no peito; asma; tosse; dor intercostal; mastite.

2. Tianquan (PC2)
Localização: no lado medial do braço, entre as duas cabeças do músculo bíceps do braço; 2 polegadas abaixo da dobra axilar (Fig. 41).
Aplicação: agulhar, perpendicularmente, 0,5-1 polegada; moxa, 10 a 15 minutos.
Indicações: dor no peito; dor no coração; palpitação; soluço; dor no braço.

3. Quze (PC3): ponto Ho, pertence ao elemento Água
Localização: no meio da prega cubital do cotovelo, no lado ulnar do músculo bíceps (Figs. 41 e 42).
Aplicação: agulhar 0,5-1 polegada; moxa, 10 minutos.
Indicações: *angina pectoris*; palpitação; tosse e vômito; tremor nos braços; febre; coma.

4. Ximen (PC4)

Localização: 5 polegadas acima da prega do punho, entre os tendões do músculo palmar longo e do músculo flexor radial do carpo (Fig. 42).
Aplicação: agulhar, perpendicularmente, 0,5-1 polegada; moxa, 15 minutos.
Indicações: opressão no peito; dor no coração; náuseas e vômitos; pleurite; mastite; furunculose; depressão e ansiedade; vexação; pericardite; amigdalite.

5. Jianshi (PC5): ponto Jing, pertence ao elemento Metal

Localização: 3 polegadas acima da prega do punho, entre os tendões dos músculos palmar longo e flexor radial do carpo (Fig. 42).
Aplicação: agulhar, perpendicularmente, 0,3-0,5 polegada; moxa, 10 a 15 minutos.
Indicações: palpitação; *angina pectoris*; epigastralgia; náusea e vômito; depressão e ansiedade; dor na garganta; voz rouca; malária; escabiose; inchaço e rigidez no braço; epilepsia; distúrbio mental.

6. Neiguan (PC6): ponto Lo

Localização: 1 polegada abaixo do ponto Jianshi (PC5); 2 polegadas acima do punho, entre os tendões dos músculos palmar longo e flexor radial do carpo (Fig. 42).

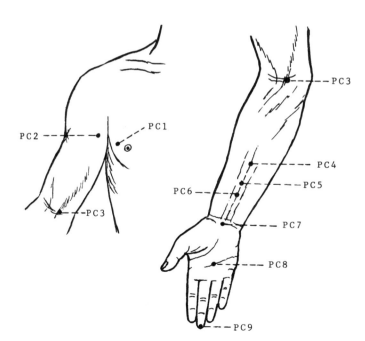

Fig. 41

Fig. 42

Aplicação: agulhar, perpendicularmente, 0,3-0,5 polegada; moxa, 10 a 15 minutos.
Indicações: dor no coração; pressão no peito; palpitação; ansiedade; histeria; epilepsia; insônia; soluço; febre; icterícia; dor no braço.

7. Daling (PC7): ponto Shu, pertence ao elemento Madeira

Localização: no meio da prega do punho no lado palmar, entre os músculos palmar longo e flexor radial do carpo (Fig. 42).
Aplicação: agulhar 0,2-0,5 polegada; moxa, 10 minutos.
Indicações: insônia; ansiedade; depressão; opressão no peito; palpitação; dor no coração; dermatite na palma; artrite no punho; halitose; hiperidrose palmar.

8. Laogong (PC8): ponto Xing, pertence ao elemento Fogo

Localização: na palma, na região próxima da articulação metacarpofalangiana, entre o terceiro e o quarto metacarpos (Fig. 42).
Aplicação: agulhar 0,2-0,5 polegada.
Indicações: dor no coração; sede e calor; estomatite, icterícia; anorexia; soluço; ansiedade; depressão; preguiça e cansaço; dermatite palmar; prurido.

9. Zhongchong (PC9): ponto Jing

Localização: 0,1 polegada acima do leito ungueal da terceira falange distal, no lado ulnar (Fig. 42).
Aplicação: agulhar 0,1-0,2 polegada; ou pungir para sangrar uma a duas gotas.
Indicações: *angina pectoris*; febre; pericardite; apoplexia; coma; dor na língua.

O meridiano do triplo-aquecedor, Shao-Yang do braço

Este meridiano é de natureza Yang, e vem acoplado ao meridiano do pericárdio de Yin, que lhe fornece energia transmitindo-a ao meridiano da vesícula biliar.

Em relação aos cinco elementos, é Fogo de Yang durante o outono e inverno, e Água na primavera e verão.

Tem 23 pontos de cada lado.

I. Trajetória

Este meridiano começa na ponta do quarto dedo da mão, sobe pelo lado dorsal da mão, entre o quarto e o quinto metacarpos, passa pelo punho e continua subindo pelo lado dorsal do punho e do antebraço, entre os ossos rádio e ulnar. Sobe mais ainda, passando pelo olécrano e lado radial do músculo tríceps no lado posterior do ombro. A seguir, passa por trás do ombro, subindo pela região supraescapular, posterior da nuca e pela borda posterior da orelha na região temporal em direção à região lateral do supercílio, onde se liga ao meridiano da vesícula biliar (VB).

Da região supraclavicular sai um ramal que entra no corpo, desce pelo meridiano e se liga ao pericárdio e à pleura. A partir dessa ligação este meridiano continua descendo, passando pelo diafragma indo até a cavidade abdominal, ligando-se ao peritônio e às serosas intestinal, visceral e pélvica.

O ramal do pulmão (pleura) sobe pela nuca, ao longo da borda posterior da orelha na região temporal e desce até a região maxilar; no maxilar, este meridiano começa a subir em direção à região infraorbital onde termina o seu trajeto (Fig. 43).

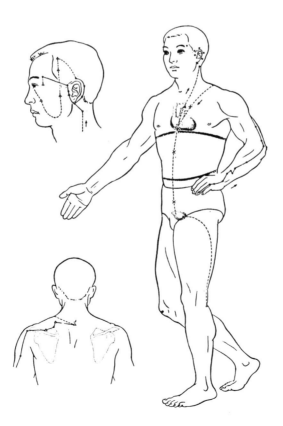

Fig. 43

127

II. Sintomatologia

1. *Sintomas principais*

A. *No ouvido*: zumbido; vertigem; dor.
B. *Relacionados com o pulmão e o coração (aquecedor superior)*: transpiração espontânea; tosse; dor na faringe; língua rígida; membros frios; má disposição; desconcentração.
C. *Relacionados com o gastrointestino e baço-pâncreas (aquecedor médio)*: muito calor e suor à tarde; anorexia; náusea; distensão abdominal; desequilíbrio hídrico; alteração mental.
D. *Relacionados com o órgão urogenital*: polidipsia; edema; oligúria; disúria; frigidez; ascite; distúrbio genital.

2. *Sintomas de excesso de energia*: dor ao longo do meridiano; dor na faringe; distensão abdominal; disúria; surdez.

3. *Sintoma de depleção energética*: transpiração espontânea; vertigem; zumbido e surdez; mãos frias e entorpecidas.

III. Os pontos do meridiano triplo-aquecedor

1. Guanchung (TA1): ponto Jin, pertence ao elemento Metal
Localização: no lado ulnar, 0,1 polegada do ângulo ungueal do dedo anular (quarto dedo da mão) (Fig. 44).
Aplicação: agulhar 0,1 polegada; sangrar uma ou duas gotas.
Indicações: dor de cabeça; dor de garganta; febre; zumbido; pterígio; boca seca; úlcera na língua; coma; apoplexia.

2. Yemen (TA2): ponto Ying, pertence ao elemento Água
Localização: entre o quarto e quinto dedos, à frente da articulação metacarpofalangiana, no limite da derme dorsal e palmar (Fig. 44).
Aplicação: agulhar, obliquamente, 0,2-0,5 polegada.
Indicações: cefaleia; pterígio; conjuntivite; zumbido; dor na garganta; gengivite; malária; febre; ausência de sudorese.

3. Zongzhu (TA3): ponto Shu, pertence ao elemento Madeira; ponto de Mãe no outono e no inverno, e ponto de Filho na primavera e no verão
Localização: no lado dorsal da mão, na fossa posterior metacarpofalangiana entre o quarto e quinto metacarpos (Fig. 44).

Aplicação: agulhar, perpendicularmente, 0,2-0,5 polegada; moxa, 10 a 15 minutos.
Indicações: zumbido; surdez; cefaleia; dor na garganta, parotidite, braquialgia; dor nas costas; adormecimento na mão e nos dedos.

4. Yangchi (TA4): ponto Yuan
Localização: no lado dorsal do punho, na depressão dorsal da prega do punho, entre os tendões dos músculos extensor comum dos dedos e do quinto dedo (Fig. 44).
Aplicação: agulhar 0,3-0,5 polegada.
Indicações: dor no punho; excesso de pelo na mulher; boca seca; diabetes melito; malária; vômito durante a gravidez.

5. Waiguan (TA5): ponto Lo
Localização: 2 polegadas acima da dobra dorsal do punho, entre os tendões do músculo extensor comum dos dedos e extensor próprio do quinto dedo (Fig. 44).
Aplicação: agulhar 0,5-1 polegada; moxa, 10 a 15 minutos.
Indicações: cefaleia; dor na nuca; dor no braço; adormecimento e paralisia dos dedos; dor intercostal; zumbido; surdez.

6. Zhigou (TA6): ponto Jing, pertence ao elemento Fogo
Localização: 1 polegada acima do ponto Waiguan (TA5), entre os tendões do músculo extensor comum dos dedos e extensor próprio do quinto dedo (Fig. 44).

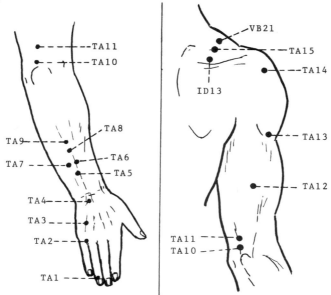

Fig. 44

Fig. 45

Aplicação: agulhar 0,5-1 polegada; moxa, 10 a 15 minutos.
Indicações: nevralgia intercostal; constipação; dor no ombro e no braço; pericardite e pleurite.

7. Huizong (TA7): ponto Xi
Localização: no lado ulnar do Zhigou (TA6), na borda radial do músculo extensor ulnar do carpo (Fig. 44).
Aplicação: agulhar 0,5-1 polegada; moxa, 10 a 15 minutos.
Indicações: dor no braço; surdez; epilepsia.

8. Sanyangluo (TA8)
Localização: 1 polegada acima do Zhigou (TA6), entre o músculo extensor comum dos dedos e extensor próprio do quinto dedo (Fig. 44).
Aplicação: agulhar 0,5-1 polegada; moxa, 10 a 15 minutos.
Indicações: dor no braço; laringite; rouquidão; surdez; gota.

9. Sidu (TA9)
Localização: 5 polegadas distal do cotovelo, entre o músculo extensor comum dos dedos e extensor ulnar do carpo (Fig. 44).
Aplicação: agulhar 0,5-1 polegada; moxa, 10 minutos.
Indicações: rouquidão; laringite; tendinite; dor no antebraço.

10. Tianjing (TA10): ponto Ho, pertence ao elemento Terra; ponto de Mãe durante a primavera e o verão, e ponto de Filho no outono e no inverno
Localização: na depressão acima do olécrano, na borda do tendão do músculo tríceps braquial (Fig. 45).
Aplicação: agulhar, perpendicularmente, 0,3-0,7 polegada; moxa, 10 a 20 minutos.
Indicações: dor no cotovelo; furunculose no braço; linfadenite; dor de cabeça e na nuca; surdez; dor de garganta.

11. Quinglengyuan (TA11)
Localização: 2 polegadas acima do olécrano, na borda do tendão do músculo tríceps braquial (Fig. 45).
Aplicação: igual à do ponto Tianjing (TA10).
Indicações: dor no cotovelo, no braço, no ombro e nos olhos.

12. Xiaoluo (TA12)
Localização: no ponto médio entre os pontos Quinglengyuan (TA11) e Naohui (TA13) (Fig. 45).

Aplicação: agulhar, perpendicularmente, 0,3-0,7 polegada; moxa, 10 a 20 minutos.
Indicações: dor na cabeça; dor na nuca e no braço.

13. Naohui (TA13)
Localização: no lado posterolateral do ombro, na borda inferior do músculo deltoide, 3 polegadas abaixo do Jianliao (TA14) (Fig. 45).
Aplicação: agulhar 0,5-1 polegada; moxa, 10 a 15 minutos.
Indicações: bursite ou periartrite no ombro; dor no braço.

14. Jianliao (TA14)
Localização: na depressão entre o acrômico e o tubérculo maior do úmero, na borda do tendão infraespinhal (Fig. 45).
Aplicação: agulhar, perpendicularmente, 0,5-1 polegada; moxa, 15 minutos.
Indicações: bursite; periartrite ou tendinite no ombro.

15. Tianliao (TA15)
Localização: na fossa supraescapular, entre Quyuan (ID13) e Jianjing (VB21) (Fig.46).
Aplicação: agulhar 0,5-1 polegada; moxa, 10 a 15 minutos.
Indicações: braquialgia; dor e rigidez na nuca; dor no ombro.

16. Tianyou (TA16)
Localização: no lado posterior e inferior do processo mastoide na região da borda posterolateral do músculo esternoclidomastóideo; entre o ponto Tianzhu (B10) e Tianrong (ID17) (Fig. 46).

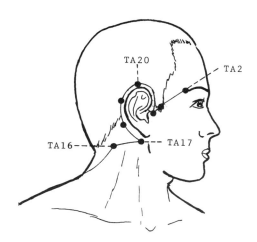

Fig. 46

Aplicação: agulhar 0,5-1 polegada; moxa, 10 a 15 minutos.
Indicações: cefaleia; edema facial; dor e rigidez na nuca; surdez; trigeminalgia.

17. Yifeng (TA17)

Localização: na depressão posteroinferior da orelha, entre a mandíbula e o processo mastoide (Fig. 46).
Aplicação: agulhar, perpendicularmente, 0,5-1,5 polegada.
Indicações: surdez; zumbido; otite; paralisia facial; trigeminalgia; periartrite temporomandibular; parotidite.

18. Qimai (TA18)

Localização: atrás do lóbulo da orelha, no ponto proeminente do processo mastóideo; onde há veia (Fig. 46).
Aplicação: agulhar para sangrar uma ou duas gotas.
Indicações: zumbido; surdez; paralisia facial; dor de cabeça.

19. Luxi (TA19)

Localização: 1 polegada acima do Qimai (TA18) (Fig. 46).
Aplicação: agulhar para sangrar uma ou duas gotas.
Indicações: zumbido; surdez; paralisia facial; dor de cabeça.

20. Jiaosun (TA20)

Localização: o ponto encontra-se acima da borda superior do pavilhão auricular na margem do cabelo, no ponto superior, dobrando a orelha em sentido anterior (Fig. 46).
Aplicação: agulhar, perpendicularmente, 0,1-0,2 polegada.
Indicações: orelha vermelha e inchada; gengivite; dor de dentes; pterígio.

21. Ermen (TA21)

Localização: ao abrir a boca, no centro da depressão, na frente do trago da orelha (Fig. 46).
Aplicação: agulhar, perpendicularmente, 0,5-1 polegada.
Indicações: surdez; zumbido; otite média; gengivite; dor de dentes.

22. Holiao (TA22)

Localização: na região anterior da orelha, no limite posteroinferior dos cabelos (Fig. 46).
Aplicação: agulhar 0,1-0,3 polegada.
Indicações: cefaleia; zumbido; conjuntivite; coma; paralisia facial.

23. Sizhukong (TA23)

Localização: na depressão lateral e superior dos cílios, acima do fim das sobrancelhas (Fig. 46).
Aplicação: agulhar 0,3-0,5 polegada.
Indicações: qualquer problema dos olhos; enxaqueca; otalgia.

O meridiano da vesícula biliar, o Chao-Yang das pernas

Este meridiano é de natureza Yang, acoplado ao meridiano do fígado, que é de Yin. Recebe energia do meridiano do triplo-aquecedor, transmitindo-a ao meridiano do fígado.

Em relação aos cinco elementos, é Madeira de Yang, sendo sua Mãe o meridiano da bexiga (Água) e seu Filho o meridiano do intestino delgado (Fogo).

Possui 44 pontos de cada lado.

I. Trajetória

O meridiano da vesícula biliar começa no ângulo lateral do olho, sobe para a região temporal, desce por trás do ouvido, ao longo do lado da nuca pela frente do meridiano triplo-aquecedor até a fossa supraclavicular.

Há um ramal que passa por trás e entra no ouvido, saindo pela frente da orelha no ângulo lateral do olho. Desse mesmo ponto, sai outro ramal que desce pelo lado medial da mandíbula, atravessa a região maxilar inferior do olho, e desce pelo pescoço até atingir a fossa supraclavicular. A seguir, acompanhado do outro ramal, desce pelo mediastino, passa pelo diafragma e liga-se com o fígado e a vesícula biliar. Saindo da vesícula biliar, desce pelo lado lateral do abdômen e atinge a região inguinal e vira para trás, na região trocantérica.

O meridiano principal sai do ângulo lateral do olho, passa na frente da orelha pela lateral da cabeça, e desce pela lateral do músculo trapézio na região supraescapular. Segue pela frente do ombro, ao lado do peito, desce pelo lado do tronco na região trocantérica, ligando-se com o meridiano da bexiga na região da nádega. Desce pela borda lateral da coxa, perna e pela parte anterolateral do tornozelo até o lado dorsal do pé, passando entre o quarto e o quinto metatarsos no quarto dedo do pé.

Há outro ramal que se separa no lado dorsal do pé, passa entre o primeiro e o segundo metatarsos até o lado dorsal do dedão do pé e liga-se com o meridiano do fígado (Fig. 47).

II. Sintomatologia

1. *Sintomas principais*

A. *Dor ao longo do trajeto do meridiano*: enxaqueca (dor têmporo-oftálmica); dor no ouvido; occipitalgia; dor na nuca; dor na axila; dor no quadril, na coxa e na perna.
B. *No olho*: perturbação da visão; conjuntivite.
C. *No ouvido*: vertigem; surdez.
D. *Distúrbio do fígado e da vesícula biliar*: icterícia; frio e febre; dor na reborda costal; boca amarga.
E. *Mental*: insônia; ansiedade; irritabilidade; irascibilidade; fobia; suspiros frequentes.

2. *Sintomas e sinais de excesso de energia*: febre com sensação de frio; boca amarga; dor na axila e margem costal; irritabilidade; icterícia; língua avermelhada; enxaqueca.

3. *Sintomas e sinais de depleção energética*: vertigem, tontura e vômito; perturbação da visão; insônia e tendência ao sonho; zumbido e surdez; fobia.

III. Os pontos do meridiano da vesícula biliar

1. Tongziliao (VB1)
Localização: 0,5 polegada na borda lateral do ângulo externo do olho (Fig. 48).
Aplicação: agulhar, obliquamente para a borda lateral, 0,5-0,8 polegada; moxa, 10 minutos.
Indicações: qualquer problema nos olhos; dor de cabeça; paralisia facial.

2. Tinghui (VB2)
Localização: ao abrir a boca, na fossa anterior e inferior do trago da orelha, um pouco abaixo do ponto Tinggong (ID19) (Fig. 48).
Aplicação: agulhar, perpendicularmente, 0,3-1 polegada; moxa, 10 minutos.
Indicações: zumbido; surdez; otite média; dor de dentes; luxação da articulação temporomandibular; paralisia facial.

3. Shangguan (VB3)
Localização: na frente do ouvido, na borda superior do arco zigomático, acima do ponto Xiaguan (E7) (Fig. 48).

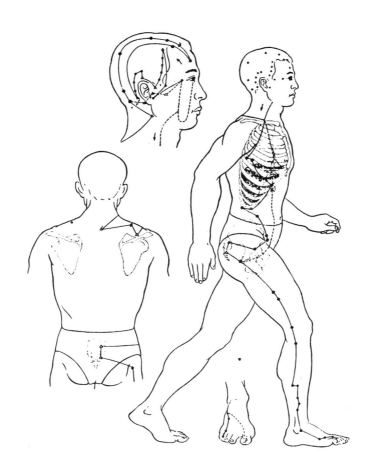

Fig. 47

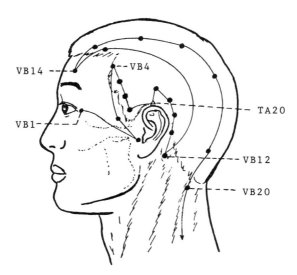

Fig. 48

Aplicação: agulhar, perpendicularmente, 0,2-0,5 polegada; moxa, 3 a 5 minutos.

Indicações: zumbido; surdez; paralisia facial; dor de dentes.

4. Hanyan (VB4)

Localização: 1 polegada abaixo do ponto Touwei (E8), na borda do cabelo na região temporal (Fig. 48).

Aplicação: agulhar, perpendicularmente, 0,3-0,5 polegada; moxa, 5 a 10 minutos.

Indicações: enxaqueca; tontura; zumbido; paralisia facial; rinite.

5. Xuanlu (VB5)

Localização: na linha entre os pontos Hanyan (VB4) e Qubin (VB7), um terço da distância abaixo do Hanyan (VB4) (Fig. 48).

Aplicação: agulhar 0,2-0,3 polegada.

Indicações: enxaqueca; dor têmporo-oftálmica; dor de dentes; rinite.

6. Xuanli (VB6)

Localização: na linha entre os pontos Hanyan (VB4) e Qubin (VB7), um terço de distância acima do ponto Qubin (VB7) (Fig. 48).

Aplicação: agulhar 0,2-0,3 polegada.

Indicações: enxaqueca; dor oftálmica; dor de dentes.

7. Qubin (VB7)

Localização: ao dobrar a orelha para baixo, no lado anterossuperior, onde a orelha encosta na borda do cabelo (Fig. 48).

Aplicação: agulhar, perpendicularmente, 0,2-0,3 polegada; moxa, 10 minutos.

Indicações: enxaqueca; dor nos olhos; dor de dentes; espasmo ou inflamação do músculo temporal.

8. Shuaigu (VB8)

Localização: ao dobrar a orelha para baixo, fica 1,5 polegada acima dela, na borda do cabelo, onde o ponto superior da orelha encosta (Fig. 48).

Aplicação: agulhar, obliquamente, 0,3-0,5 polegada; moxa, 5 a 10 minutos.

Indicações: dor de cabeça depois de beber álcool; enxaqueca; tontura; vômito.

9. Tianchong (VB9)

Localização: 0,5 polegada atrás do ponto Shuaigu (VB8), 2 polegadas acima da borda do cabelo, acima e atrás da orelha (Fig. 48).

Aplicação: agulhar, obliquamente, 0,3-0,5 polegada; moxa, 5 a 10 minutos.
Indicações: dor de cabeça temporal; gengivite; epilepsia.

10. Fubai (VB10)

Localização: 1 polegada abaixo e atrás do ponto Tianchong (VB9), atrás e acima da orelha, na depressão, 1 polegada acima da borda do cabelo (Fig. 48).
Aplicação: agulhar, obliquamente, 0,3-0,5 polegada; moxa, 10 minutos.
Indicações: zumbido; surdez; dor de dentes; dor e rigidez na nuca; amigdalite.

11. Qiaoyin (VB11)

Localização: 1 polegada abaixo do Fubai (VB10) no ponto quase central entre Fubai (VB10) e Wangu (VB12) na depressão superior e posterior do processo mastóideo (Fig. 48).
Aplicação: igual à do ponto Fubai (VB10).
Indicações: dor de cabeça e na nuca; olitedemia; zumbido, surdez; trigeminalgia; espasmo nos membros.

12. Wangu (cabeça) (VB12)

Localização: na depressão posteroinferior do processo mastóideo, 0,7 polegada abaixo do ponto Qiaoyin (VB11) (Fig. 48).
Aplicação: agulhar 0,3-0,5 polegada; moxa, 10 a 15 minutos.
Indicações: dor de cabeça e na nuca; zumbido; dor de ouvido; dor de garganta; amigdalite; dor de dentes; gengivite; paralisia facial; insônia; epilepsia.

13. Benshen (VB13)

Localização: acima da região frontal na borda do cabelo, 3 polegadas na lateral da linha central (Fig. 48).
Aplicação: agulhar, obliquamente, 0,3-0,5 polegada; moxa, 5 a 10 minutos.
Indicações: dor de cabeça; tontura; vertigem; vômito; epilepsia; psicose.

14. Yangbai (VB14)

Localização: 1 polegada acima da linha da sobrancelha, perpendicular à pupila (Fig. 48).
Aplicação: agulhar, perpendicular ou obliquamente, 0,2-0,5 polegada; moxa, 10 minutos.
Indicações: dor de cabeça frontal; dor nos olhos; enxaqueca; tontura; qualquer problema nos olhos; trigeminalgia; paralisia facial.

15. Linqi (da cabeça) (VB15)

Localização: na linha vertical da pupila, 0,5 polegada acima da borda do cabelo, no ponto médio entre Shengting (DM24) e Touwei (E8) (Fig. 48).

Aplicação: igual à do ponto Yangbai (VB14).

Indicações: tontura; zumbido; perturbação da visão; muita lacrimação; dor nos olhos; obstrução nasal; coma; apoplexia; epilepsia.

16. Muchuang (VB16)

Localização: 1 polegada acima do ponto Linqi (VB15) (Fig.48).

Aplicação: agulhar, obliquamente, 0,3-0,5 polegada.

Indicações: dor de cabeça; problemas nos olhos; rosto inchado; obstrução nasal.

17. Zhengying (VB17)

Localização: 1 polegada atrás do Muchuang (VB16) (Fig. 48).

Aplicação: igual à do ponto Muchuang (VB16).

Indicações: dor de cabeça; tontura; dor de dentes; labirintite.

18. Chengling (VB18)

Localização: 1,5 polegada atrás do Zhengying (VB17) (Fig. 48).

Aplicação: igual à do ponto Zhengying (VB17).

Indicações: dor de cabeça; obstrução nasal, rinite; tosse; asma; dor nos olhos; epistaxe.

19. Naokong (VB19)

Localização: 1,5 polegada acima do Fengchi (VB20), na borda lateral da protuberância occipital, atrás do ponto Chengling (VB18) (Fig. 48).

Aplicação: igual à do ponto Chengling (VB18).

Indicações: occipitalgia; vertigem; tontura; rigidez na nuca; asma; zumbido; epistaxe.

20. Fengchi (VB20)

Localização: abaixo da borda occipital na depressão entre os músculos trapézio e esternoclidomastóideo, na margem do cabelo (Fig. 48).

Aplicação: agulhar, perpendicularmente, 0,5-1 polegada; moxa, 10 a 15 minutos.

Indicações: dor de cabeça; rigidez e dor na nuca; tontura; vertigem; zumbido; resfriado; hipertensão; enxaqueca; insônia; apoplexia.

21. Jianjing (VB21)

Localização: no ponto equidistante entre o Dazhui (DM14) e o acrômio do ombro, 1 polegada acima do ponto Tianliao (TA15) (Fig. 49).

Aplicação: agulhar, perpendicularmente, 0,5-1 polegada; moxa, 10 a 15 minutos.
Indicações: tontura; dor e rigidez na nuca; braquialgia; mastite; paralisia no braço; hipertireoidismo.

22. Yuanye (VB22)
Localização: 3 polegadas abaixo da borda da axila, na linha anterior da axila, no quarto espaço intercostal (Fig. 49).
Aplicação: agulhar, obliquamente, 0,3-0,5 polegada; moxa, 10 minutos.
Indicações: dor intercostal; pleurite; linfadenite axilar.

23. Zhejin (VB23)
Localização: 1 polegada anterior ao ponto Yuanye (VB22), no quarto espaço intercostal (Fig. 49).
Aplicação: agulhar, obliquamente, 0,3-0,5 polegada; moxa, 10 minutos.
Indicações: opressão no peito; asma; vômito; acidez na boca; rigidez nos membros e alalia ou dislalia; parkinsonismo.

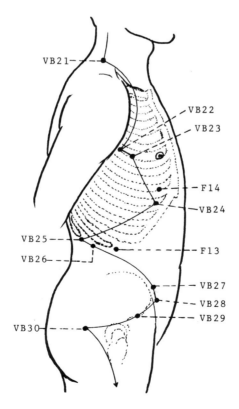

Fig. 49

24. Riyue (VB24)

Localização: na linha do mamilo, na borda inferior da costela, 4,5 polegadas acima do umbigo (Fig. 49).

Aplicação: agulhar, obliquamente, 0,3-1 polegada; moxa, 5 a 10 minutos.

Indicações: dor na margem da costela; epigastralgia; acidez e vômito; distensão abdominal; hepatite; icterícia; soluço.

25. Jingmen (VB25)

Localização: na linha posterior da axila, na borda anterior e inferior da ponta da décima segunda costela, 0,5 polegada acima do umbigo (Fig. 49).

Aplicação: agulhar, obliquamente, 0,3-1 polegada; moxa, 10 minutos.

Indicações: qualquer problema dos rins; dor nas costas; dor no quadril e/ou pelve; dor na região inguinal; cólica intestinal; distensão abdominal; oligúria e edema.

26. Daimai (VB26)

Localização: ao nível do umbigo, abaixo do ponto Zhangmen (F13), na extremidade da décima primeira costela, e em cima do músculo oblíquo abdominal (Fig.49).

Aplicação: agulhar, perpendicularmente, 0,5-1 polegada; moxa, 10 minutos.

Indicações: lombalgia; cistite; menstruação irregular.

27. Wushu (VB27)

Localização: 3 polegadas antes e abaixo do ponto Daimai (VB26), no nível da Guanyuan (RM4) na frente da espinha ilíaca anterossuperior (Fig. 49).

Aplicação: agulhar 0,5-1 polegada; moxa, 10 minutos.

Indicações: lombalgia; cólica abdominal; constipação; cólica urogenital; corrimento urogenital.

28. Weidao (VB28)

Localização: 0,5 polegada abaixo do ponto Wushu (VB27), no lado infero-anterior da espinha ilíaca anterossuperior (Fig. 49).

Aplicação: agulhar 0,5-1 polegada; moxa, 10 minutos.

Indicações: dor inguinal; dor lombar; enterite; ascite; apendicite.

29. Juliao (do fêmur) (VB29)

Localização: local equidistante entre o ponto mais proeminente do trocanter maior do fêmur e espinha ilíaca anterossuperior, na borda do músculo tensor da fáscia lata (Fig. 49).

Aplicação: agulhar 1-2 polegadas; moxa, 10 a 20 minutos.

Indicações: dor no quadril; na coxa e na perna; paralisia ou fraqueza na perna.

30. Huantiao (VB30)
Localização: na nádega, na linha entre o hiato do sacro e a proeminência do trocanter maior do fêmur; um terço da distância lateral na borda inferior do músculo piriforme (Fig. 49).
Aplicação: agulhar, perpendicularmente, 1-2,5 polegadas; moxa, 10 a 30 minutos.
Indicações: dor na perna; dor no quadril; dor ciática; paralisia na perna; dor lombar e lombossacra; hemiplegia; urticária; coceira na pele; reumatismo na perna.

31. Fengshi (VB31)
Localização: deixando-se o braço e a mão caídos paralelamente à coxa, o ponto fica correspondente ao dedo médio, isto é, na lateral da coxa, 7 polegadas acima do joelho na borda posterior do músculo tensor da fáscia lata (Fig. 50).
Aplicação: agulhar, perpendicularmente, 0,5-1 polegada; moxa, 10 a 15 minutos.
Indicações: dor ciática; dor na coxa; fraqueza na perna; hemiplegia; dor e fraqueza no joelho; coceira geral no corpo; adormecimento na perna.

32. Zhondu (do fêmur) (VB32)
Localização: 5 polegadas acima do joelho, na lateral da coxa, no tendão do músculo tensor da fáscia lata (Fig. 50).

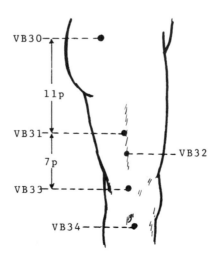

Fig. 50

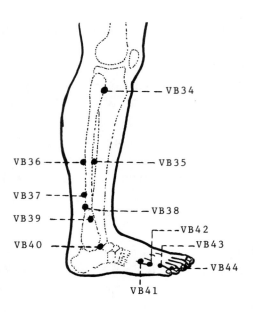

Fig. 51

Aplicação: igual à do ponto Fengshi (VB31).
Indicações: dor na coxa e no joelho; dor ciática.

33. Xiyangguan (VB33)
Localização: na borda lateral do joelho, 3 polegadas acima do ponto Yanglingquan (VB34), na depressão superior do epicôndilo lateral do fêmur (Fig. 50).
Aplicação: agulhar 0,5-0,8 polegada (atenção para não penetrar a cápsula articular); moxa, 10 minutos.
Indicação: dor no joelho.

34. Yanglingquan (VB34): ponto Ho, pertence ao elemento Terra
Localização: 1 polegada abaixo do joelho, na depressão anterior e inferior da cabeça da fíbula, na fáscia do músculo fibular longo (Figs. 50 e 51).
Aplicação: agulhar, perpendicularmente, 0,5-1,5 polegada; moxa, 10 a 15 minutos.
Indicações: artrite ou periartrite no joelho; tendinite no joelho; dor na perna; inchaço na perna; dor na axila; inchaço no rosto; boca amarga; vômito; vertigem; tontura; hemiplegia; qualquer distúrbio dos tendões.

35. Yangjiao (VB35)
Localização: 7 polegadas acima do maléolo externo na borda anterior da fíbula (Fig. 51).

Aplicação: agulhar 0,5-1 polegada; moxa, 5 a 10 minutos.
Indicações: asma; dor de garganta; dor no peito; dor na borda lateral da perna; espasmo do músculo gastrocnêmio; conjuntivite.

36. Waiqiu (VB36)
Localização: 1 polegada atrás e ao mesmo nível do ponto Yangjiao (VB35), na borda posterior da fíbula (Fig. 51).
Aplicação: igual à do ponto Yangjiao (VB35).
Indicações: dor na borda lateral da perna; espasmo do músculo gastrocnêmio.

37. Guangming (VB37): ponto Lo
Localização: 5 polegadas acima do ponto mais alto do maléolo externo, na borda anterior da fíbula (Fig. 51).
Aplicação: agulhar, perpendicularmente, 0,5-1 polegada; moxa, 5 a 15 minutos.
Indicações: problema nos olhos; dor na perna.

38. Yangfu (VB38): ponto Jing, pertence ao elemento Fogo; ponto de Filho
Localização: 4 polegadas acima do ponto mais alto do maléolo externo, na borda posterior da fíbula em cima da fáscia do músculo perôneo longo (Fig. 51).
Aplicação: igual à do ponto Guangming (VB37).
Indicações: enxaqueca; espasmo muscular; sensação de frio na região lombar.

39. Xuangzhong (VB39): ponto do grande Lo de três meridianos de Yang
Localização: 3 polegadas acima do ponto mais alto do maléolo externo, na depressão entre a fíbula e os tendões perôneo longo e curto (Fig. 51).
Aplicação: agulhar, obliquamente, 0,3-0,5 polegada; moxa, 10 a 15 minutos.
Indicações: enxaqueca; torcicolo; dor e rigidez na nuca; gota; qualquer tipo de artrite; dor no pé; torção e inchaço no tornozelo e pé; hemorroidas; epistaxe; coriza.

40. Qiuxu (VB40): ponto Yuan
Localização: no lado anteroinferior do maléolo externo, na depressão lateral do tendão do músculo extensor longo dos dedos (Fig. 51).
Aplicação: agulhar 0,2-0,5 polegada.
Indicações: dor e inchaço no tornozelo; dor ao longo do trajeto deste meridiano; pterígio.

41. Linqi (do pé) (VB41): ponto Shu, pertence ao elemento Madeira
Localização: na depressão entre o quarto e o quinto metatarsos (Fig. 51).
Aplicação: agulhar 0,3-0,5 polegada; moxa, 10 minutos.

Indicações: febre reumática; endocardite; mastite; conjuntivite; vertigem; lombalgia; dor nas costas e no peito; zumbido.

42. Diwuhui (VB42)

Localização: entre o quarto e o quinto metatarsos atrás das articulações metatarsofalangianas (Fig. 51).
Aplicação: igual à do ponto Linqi (VB41).
Indicações: zumbido; vertigem; dor na axila; mastite; metatarsalgia.

43. Xiaxi (VB43): ponto Jing, pertence ao elemento Água; ponto de Mãe

Localização: à frente das articulações metatarsofalangianas entre o quarto e o quinto dedos do pé (Fig. 51).
Aplicação: agulhar 0,2-0,3 polegada.
Indicações: zumbido; vertigem; surdez; dor no peito; dor intercostal.

44. Qiaoyin (VB44): ponto Jin, pertence ao elemento Metal

Localização: 0,1 polegada posterolateral do leito ungueal do quarto dedo do pé (Fig. 51).
Aplicação: agulhar, até sangrar uma ou duas gotas.
Indicações: enxaqueca; vertigem; dor nos olhos; faringite; tendência ao sonho.

O meridiano do fígado, Jue-Yin da perna

Este meridiano é de natureza Yin, acoplado ao meridiano da vesícula biliar, que é Yang. Recebe a energia do meridiano da vesícula biliar, e a transmite ao meridiano do pulmão.

Em relação aos cinco elementos, é Madeira, de Yin; sua Mãe é de Água (o meridiano dos rins) e seu Filho é de Fogo (o meridiano do coração). Possui quatorze pontos de cada lado.

I. Trajetória

Este meridiano começa no dedão do pé, pelo lado do pé entre o primeiro e o segundo metatarsos, passando no ponto Zhongfeng (F4), 1 polegada na frente do maléolo medial.

Cruza com o meridiano do baço-pâncreas no ponto Sanyinjiao (BP6) acima do maléolo medial, e sobe pelo lado anteromedial da perna na borda medial da tíbia. Segue pelo lado medial do joelho e coxa para a região genital externa e suprapúbica, onde se junta com o meridiano do Ren-Mo.

Continuando sua trajetória, sobe pelo lado do abdômen, até a reborda costal, ligando-se ao fígado e à vesícula biliar.

Este meridiano possui um ramal que sobe atravessando o diafragma pelo lado posterior do tórax, esôfago, laringe; passa pela região nasofaringeal e liga-se aos olhos. Desse ramal, sai dos olhos atingindo a região maxilar ao redor dos lábios.

O ramal do fígado passa pelo diafragma e pelo pulmão ligando-se ao meridiano do pulmão (Fig. 52).

II. Sintomatologia

1. *Sintomas principais*

A. *No aparelho urogenital*: dor no órgão genital externo; dor suprapúbica; distúrbio de menstruação; doenças infecciosas nos órgãos da pélvis; ptose do útero; distúrbios de micção.
B. *No olho*: conjuntivite; perturbação da visão.
C. *No fígado*: dor no fígado, na região da borda costal direita; hepatrofia ou alargamento do fígado; febre; icterícia.
D. *Nos tendões e fáscias*: tendinite; periartrite; espondilite.
E. *Na mente*: irritabilidade, irascibilidade; emotividade; insônia; tendência ao sonho; estado maníaco.

2. *Sintomas e sinais de excesso de energia*: dor no peito, reborda costal e epigastral; dor nos órgãos genitais; convulsão; dor de cabeça; conjuntivite e olhos lacrimejantes; insônia; boca amarga; irascibilidade e emotividade; dispepsia; náuseas e vômito.

3. *Sintomas e sinais de depleção energética*: tontura; perturbação da visão; zumbido; fraqueza nas costas e nas pernas; olhos secos.

III. Os pontos do meridiano do fígado

1. Dadun (F1): ponto Jin, pertence ao elemento Madeira

Localização: 0,1 polegada acima do ângulo lateral do leito ungueal do hálus (Fig. 53).

Aplicação: agulhar para sangrar duas gotas, ou obliquamente, 0,1-0,2 polegada; moxa no lado dorsal próximo da articulação interfalangeal.

Indicações: hemorragia pós-parto; menorragia funcional; amenorreia; ptose do útero; dor no pênis; hipertrofia da próstata; uretrite; enurese; hérnia.

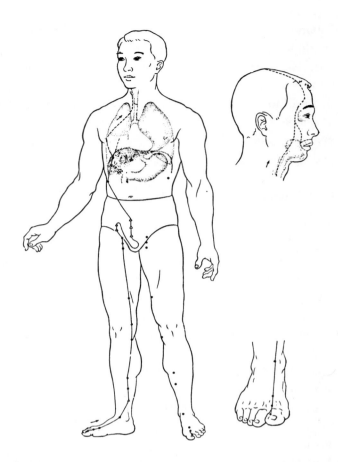

Fig. 52

2. Xingjian (F2): ponto Ying, pertence ao elemento Fogo; ponto de Filho
Localização: entre o primeiro e o segundo dedos do pé, na frente das articulações metatarsofalangianas (Fig. 53).
Aplicação: agulhar, obliquamente, 0,3-0,5 polegada; moxa, 10 minutos.
Indicações: menorragia; menstruação irregular; dor nos órgãos genitais externos; uretrites; enurese; hipertrofia da próstata; dor na margem costal; hipertensão; conjuntivite; insônia; epilepsia; dor ciática.

3. Taichong (F3): ponto Shu, pertence ao elemento Terra
Localização: entre o primeiro e o segundo metatarsos, atrás das articulações metatarsofalangianas (Fig. 53).
Aplicação: agulhar 0,5-1 polegada; moxa, 10 minutos.
Indicações: dor de cabeça; tontura; dor na genitália externa; hipertrofia da próstata; hérnia; dor e distenção na margem costal; distúrbio nos olhos; menorragia; mastite.

4. Zhongfeng (F4): ponto Jing, pertence ao elemento Metal

Localização: 1 polegada à frente do maléolo, na borda medial do tendão do músculo tibial anterior acima da tuberosidade navicular (Figs. 53 e 54).
Aplicação: agulhar 0,5-1 polegada; moxa, 10 minutos.
Indicações: dor no pênis; uretrite; prostatite; hérnia; lombalgia; hepatite; dor no tornozelo.

5. Ligou (F5): ponto Lo

Localização: 5 polegadas acima do maléolo medial; na borda posteromedial da tíbia (Fig. 54).
Aplicação: agulhar, perpendicularmente, 0,5-1 polegada; moxa, 10 minutos.
Indicações: menorragia; leucorreia; menstruação irregular; orquite; disúria; espermatorreia; impotência; dor na perna; lombalgia.

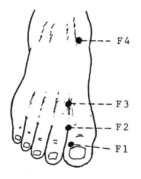

Fig. 53

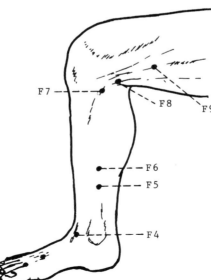

Fig. 54

147

6. Zhongdu (F6): ponto Xi

Localização: 7 polegadas acima do maléolo medial, na borda posteromedial da tíbia (Fig. 54).

Aplicação: agulhar, perpendicularmente, 0,5-1 polegada; moxa, 10 minutos.

Indicações: menorragia; hemorragia pós-parto; dor abdominal suprapúbica; hérnia; dor no joelho ou na perna.

7. Xiguan (F7)

Localização: no lado posteroinferior do côndilo medial da tíbia, 1 polegada atrás do Yinlingquan (BP9) (Fig. 54).

Aplicação: agulhar, perpendicularmente, 0,5-1 polegada; moxa, 10 minutos.

Indicações: dor no joelho; periartrite; dor de garganta.

8. Ququan (F8): ponto Ho, pertence ao elemento Água; ponto de Mãe

Localização: no fim do lado medial da prega poplítea, na borda antero-medial dos músculos semimembranoso e semitendinoso (Fig.54).

Aplicação: agulhar, perpendicularmente, 0,5-1 polegada; moxa, 10 minutos.

Indicações: infecções no aparelho urogenital; ptose do útero; coceira na área genital; dor suprapúbica; dor na região inguinal; frigidez; periartrite no joelho.

9. Yinbao (F9)

Localização: 4 polegadas acima do epicôndilo medial do fêmur, entre os músculos sartório e vasto medial (Fig. 55).

Aplicação: agulhar 0,5-1,5 polegada; moxa, 10 a 15 minutos.

Indicações: menstruação irregular; enurese noturna; dor no cóccix e no ab-dômen inferior.

10. Wuli (da coxa) (F10)

Localização: 3 polegadas abaixo da região inguinal, na borda anteromedial do músculo adutor longo (Fig. 55).

Aplicação: agulhar 0,5-1,5 polegada; moxa, 10 a 15 minutos.

Indicações: distúrbio de micção; dermatite no escroto; sonolência.

11. Yinlian (F11)

Localização: 1 polegada abaixo da inguinal; na borda anteromedial do pon-to inicial do músculo adutor longo (Fig. 55).

Aplicação: agulhar 0,5-1,5 polegada; moxa, 10 minutos.

Indicações: dor na coxa; menstruação irregular; esterilidade.

12. Jimai (F12)

Localização: no lado lateral e inferior do osso púbico, 2,5 polegadas lateral e 1 polegada inferior da borda superior da sínfise púbica (Fig. 55).
Aplicação: agulhar 0,5-1 polegada.
Indicações: dor genital; dor no pênis; ptose do útero; hérnia; dor na coxa medial.

13. Zhangmen (F13): ponto Mu do baço-pâncreas; ponto Hwei das vísceras

Localização: na borda inferior do ponto final da décima primeira costela, no lado do abdômen (Fig. 56).

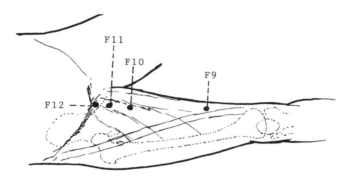

Fig. 55

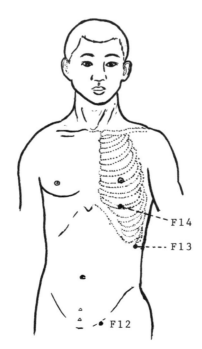

Fig. 56

Aplicação: agulhar 0,5-0,8 polegada; moxa, 10 minutos.

Indicações: inchaço do baço; distensão abdominal; cólica biliar; dor no lado do abdômen; borborigmo; indigestão; diarreia; magreza.

14. Quimen (F14): ponto Mu do fígado

Localização: na linha mamilar diretamente abaixo do mamilo, no espaço intercostal entre a sexta e a sétima costelas (Fig. 56).

Aplicação: agulhar 0,5 polegada; moxa, 15 minutos.

Indicações: pleurite; hepatite; dor no peito; dor na margem hipocondrial; malária.

CAPÍTULO 5

Meridianos Extraordinários

Além dos meridianos ordinários, cujos fluxos energéticos são mais perceptíveis, há outros oito meridianos que surgem ocasionalmente. São eles: Du-Mai; Ren-Mai; Chong-Mai; Dai-Mai; Yinchiao-Mai; Yangchiao-Mai; Yinwei-Mai; Yangwei-Mai.

Du-Mai (O meridiano Governador)

I. Trajetória

Este meridiano tem seu início no períneo, passa ao lado do ânus, chegando à extremidade do cóccix. Sobe, então, ao longo da coluna sacral, lombar, dorsal, cervical até atingir o crânio.

O ramal superficial sobe pela linha vertical parietal frontal até o nariz, descendo, a seguir, pelo lado dorsal da boca.

O ramal mais profundo entra no cérebro pela nuca, saindo pelo nariz. Há ainda outro ramal que sobe pelo períneo, passa por baixo do abdômen, ligando-se à bexiga e aos rins (Fig. 57).

II. Sintomatologia

Du-Mai tem duas funções principais que são:

a) Governar e regular a energia de Yang do corpo;

b) Manter a resistência do corpo.

Quando este meridiano apresenta algum problema, haverá espasmo e rigidez até com opistótono. Os sintomas principais são: dor nas costas; dor de cabeça; convulsão; epilepsia; comportamento maníaco; hemorroidas; hérnia; diurese; esterilidade.

III. Os pontos do Du-Mai

1. Changquiang (DM1)
Localização: no ponto médio entre o final do cóccix e o ânus (Fig. 58).
Aplicação: agulhar, para cima, obliquamente, 0,5-1 polegada; moxa, 10 a 15 minutos.
Indicações: diarreia; hemorroidas; prolapso do ânus; melena; espermatorreia; dor no cóccix.

2. Yaoshu (DM2)
Localização: na junção entre o osso sacro e o cóccix, no lado do hiato do sacro (Fig.59).
Aplicação: agulhar, para cima, obliquamente, 0,5-1 polegada; moxa, 10 a 20 minutos.
Indicações: menstruação irregular; hemorroidas; dor no sacro e no cóccix; espermatorreia; impotência.

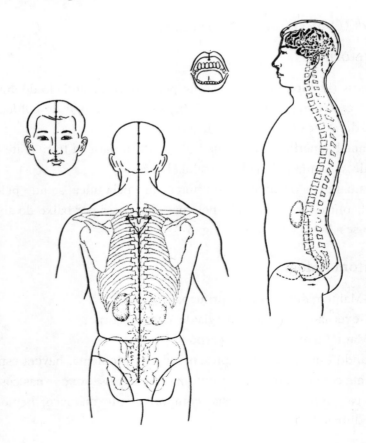

Fig. 57

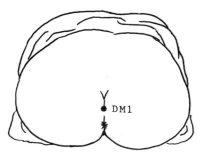

Fig. 58

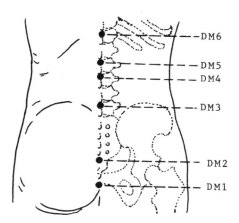

Fig. 59

3. Yaoyangquan (DM3)
Localização: na linha central da coluna vertebral; nos espaços entre os processos espinhosos de L4 e L5 (Fig. 59).
Aplicação: agulhar, perpendicularmente, 0,5-1 polegada; moxa, 10 a 15 minutos.
Indicações: lombalgia; impotência; espermatorreia; menstruação irregular; leucorreia; cólica intestinal; diarreia.

4. Mingmen (DM4)
Localização: na linha central da coluna vertebral; no espaço entre as espinhas da segunda e terceira vértebras lombares (Fig. 59).
Aplicação: igual ao ponto Yaoyangquan (DM3).
Indicações: dor de cabeça; zumbido; dor lombar; opistótono; espasmo das costas; hemorroidas; diarreia crônica.

5. Xuanshu (DM5)

Localização: na linha central da coluna vertebral no espaço entre a primeira e a segunda vértebras lombares (Fig. 59).
Aplicação: igual ao ponto Yaoyangquan (DM3).
Indicações: dor de barriga; diarreia; prolapso do ânus; dor lombar.

6. Jizhong (DM6)

Localização: na linha central da coluna; entre o décimo primeiro e o décimo segundo processo espinhoso das vértebras dorsais (Figs. 59 e 60).
Aplicação: agulhar 0,5-1 polegada.
Indicações: hemorroidas; gripe; icterícia; distensão abdominal; epilepsia.

7. Zhongshu (DM7)

Localização: na linha central da coluna; entre o décimo e o décimo primeiro processo espinhoso das vértebras dorsais (Fig. 60).
Aplicação: agulhar 0,5-1 polegada; moxa, 5 a 10 minutos.
Indicações: lombalgia; icterícia; febre; perturbações da visão.

8. Jinsuo (DM8)

Localização: na linha central da coluna; entre o nono e o décimo processo espinhoso das vértebras dorsais (Fig. 60).
Aplicação: agulhar 0,5-1 polegada; moxa, 10 minutos.
Indicações: tontura; afasia; dor nas costas; gastralgia; epilepsia.

9. Zhiyang (DM9)

Localização: na linha central da coluna; entre o sétimo e o oitavo processo espinhoso das vértebras dorsais (Fig. 60).
Aplicação: agulhar 0,5-1 polegada; moxa, 10 minutos.
Indicações: tosse; dispneia; epigastralgia; borborigmo; icterícia; dor nas costas; fraqueza.

10. Lingtai (DM10)

Localização: na linha central da coluna; entre o sexto e o sétimo processo espinhoso das vértebras dorsais (Fig. 60).
Aplicação: moxa, 10 a 15 minutos.
Indicações: gripe; tosse; asma; bronquite; dor nas costas; furunculose.

11. Shendao (DM11)

Localização: na linha central da coluna; entre o quinto e o sexto processo espinhoso das vértebras dorsais (Fig. 60).

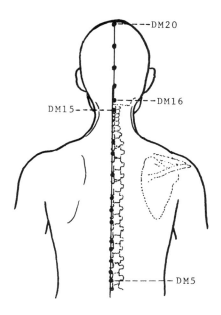

Fig. 60

Aplicação: moxa, 10 a 15 minutos.
Indicações: falta de memória; tosse; convulsão; dor e rigidez nas costas; ansiedade.

12. Shenzhu (DM12)
Localização: na linha central da coluna; entre o terceiro e o quarto processo espinhoso das vértebras dorsais (Fig. 60).
Aplicação: agulhar 0,3-1 polegada; moxa, 10 a 15 minutos.
Indicações: epilepsia; insônia; dor e rigidez nas costas; epistaxe; bronquite; tuberculose.

13. Taodao (DM13)
Localização: na linha central da coluna; entre o primeiro e o segundo processo espinhoso das vértebras dorsais (Fig.60).
Aplicação: agulhar 0,3-1 polegada; moxa, 10 a 15 minutos.
Indicações: dor e rigidez nas costas; dor de cabeça; malária; tuberculose; febre; epilepsia.

14. Dazhui (DM14)
Localização: no ponto médio entre os processos espinhosos da sétima vértebra cervical e primeira vértebra dorsal (Fig. 60).
Aplicação: agulhar 0,3-1 polegada; moxa, 10 a 15 minutos.
Indicações: febre; malária; tosse; dor e rigidez na nuca e nas costas; asma; gripe.

15. Yamen (DM15)

Localização: na linha central da nuca, no ligamento intraespinhoso da primeira e segunda vértebras cervicais; na borda superior do processo espinhoso da segunda vértebra cervical (Fig. 60).

Aplicação: agulhar, para baixo, obliquamente, 0,5 polegada; cuidado para não penetrar na coluna.

Indicações: dor de cabeça; dor e rigidez na nuca; dificuldade de falar; língua rígida; convulsão e opistótono; esquizofrenia; comportamento maníaco; neurose.

16. Fengchu (DM16)

Localização: na linha centro-vertical do occipital, na fossa inferior da protuberância occipital (Fig. 60).

Aplicação: agulhar, perpendicularmente, 0,5-0,8 polegada.

Indicações: dor de cabeça; occipitalgia, rigidez na nuca; comportamento maníaco; tontura; afasia; apoplexia.

17. Naohu (DM17)

Localização: 1,5 polegada acima do Fengchu (DM16), na borda superior da protuberância occipital (Fig. 60).

Aplicação: agulhar, obliquamente, 0,5-0,8 polegada.

Indicações: dor e rigidez na nuca; occipitalgia; tontura; epilepsia; perturbação da visão.

18. Qiangjian (DM18)

Localização: 1,5 polegada acima do Naohu (DM17), no ponto médio entre Naohu (DM17) e Houding (DM19) (Fig. 60).

Aplicação: agulhar, obliquamente, 0,5-0,8 polegada.

Indicações: dor e rigidez na nuca; occipitalgia; tontura; epilepsia; perturbação da visão.

19. Houding (DM19)

Localização: 1,5 polegada atrás do Baihui (DM20) (Figs. 60 e 61).

Aplicação: agulhar, obliquamente, 0,5-1 polegada.

Indicações: dor de cabeça (parietal); enxaqueca; rigidez na nuca; insônia; esquizofrenia; epilepsia.

20. Baihui (DM20)

Localização: na linha centro-vertical da cabeça; 7 polegadas acima da borda posterior do cabelo; 5 polegadas atrás da margem anterior do cabelo (Figs. 60 e 61).

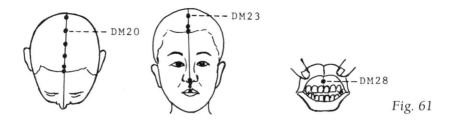

Fig. 61

Aplicação: agulhar, obliquamente, 0,3-0,5 polegada para trás.
Indicações: dor de cabeça (parietal); convulsão infantil; palpitação; A.V.C; falta de memória; hemorroidas; prolapso do ânus; prolapso do útero; esquizofrenia; comportamento maníaco; epilepsia.

21. Chiending (DM21)
Localização: 1,5 polegada antes do Baihui (DM20), na linha central vertical da cabeça (Fig. 61).
Aplicação: agulhar, obliquamente, 0,3-0,5 polegada para trás.
Indicações: dor de cabeça (parietal); tontura; coriza; entupimento nasal; convulsão; epilepsia.

22. Xinhui (DM22)
Localização: 3 polegadas antes do Baihui (DM20) (Fig. 61).
Aplicação: agulhar, obliquamente, 0,3-0,5 polegada para trás.
Indicações: dor de cabeça; obstrução nasal; epistaxe; convulsão infantil; epilepsia.

23. Shangxing (DM23)
Localização: na linha central vertical da cabeça; 1 polegada atrás da margem do cabelo; 1 polegada na frente do Xinhui (DM22) (Fig. 61).
Aplicação: agulhar, obliquamente, 0,3-0,5 polegada para trás.
Indicações: dor de cabeça; tontura; polipose nasal; obstrução nasal; coriza; epistaxe; problemas nos olhos.

24. Shengting (DM24)
Localização: 0,5 polegada na frente do Shangxing (DM23) (Fig. 61).
Aplicação: agulhar, obliquamente, 0,3-0,5 polegada para trás.
Indicações: dor de cabeça (frontal); tontura e vertigem; rinite; ansiedade; insônia; palpitação; problemas nos olhos; epilepsia; opistótono.

25. Suliao (DM25)
Localização: na ponta do nariz (Fig. 61).

Aplicação: agulhar, obliquamente, 0,1-0,3 polegada.

Indicações: rosácea de nariz; obstrução nasal; epistaxe; rinite.

26. Renzhong (DM26)

Localização: na linha centro-vertical, um terço da distância entre o lábio e o nariz (Fig. 61).

Aplicação: agulhar, obliquamente, 0,1-0,3 polegada.

Indicações: desmaios; coma; lombalgia; paralisia facial; distúrbio mental.

27. Duiduan (DM27)

Localização: no meio da região superior do lábio, na junção entre a mucosa e a derme (Fig. 61).

Aplicação: agulhar 0,1-0,3 polegada para cima.

Indicações: gengivite; polipose nasal; epistaxe; mau hálito.

28. Yinjiao (DM28)

Localização: no lado inferior do lábio superior; no meio ponto entre a mucosa do lábio e a gengiva (Fig. 61).

Aplicação: agulhar para sangrar uma a duas gotas.

Indicações: gengivite; hemorroidas; comportamento maníaco.

Ren-Mai (*O meridiano da vasoconcepção*)

I. Trajetória

Este meridiano começa na cavidade pélvica, sai pelo períneo, passando pelo órgão genital externo, na altura da sínfese púbica. Corre ao longo da linha central do abdômen, tórax e pescoço, continuando a subir até atingir a região mandibular, ao redor da boca (lábios).

Possui um ramal que sobe pelo canto lateral da boca até chegar aos olhos, onde termina o seu trajeto (Fig.62).

II. Sintomatologia

Em chinês, "Ren" significa nascer e criar. Este meridiano liga-se a todos os meridianos de Yin. Por isso, chama-se "O mar dos meridianos de Yin".

O desequilíbrio da energia deste meridiano se evidenciará no homem sob a forma de hérnia e cólicas abdominais, e na mulher como problemas nos órgãos genitais, leucorreia e esterilidade. Além desses, há ainda outros tipos de problemas tais como: distúrbios de menstruação; impotência; epilepsia; espermatorreia; infecção na uretra; aborto.

Os pontos do Ren-Mai são usados para tratamentos gastrointestinais, pulmonares e de garganta etc.

III. Os pontos Ren-Mai

1. Huiyin (RM11)
Localização: na linha central do períneo; nos homens fica no meio ponto entre o ânus e o escroto, enquanto nas mulheres se localiza entre o ânus e a vagina.
Aplicação: agulhar, perpendicularmente, 0,5-1 polegada; moxa, 5 a 10 minutos.
Indicações: hemorroidas; uretrite; distúrbios de menstruação; espermatorreia; coma.

2. Qugu (RM2)
Localização: na borda superior da sínfise púbica, na linha central do abdômen (Fig. 63).

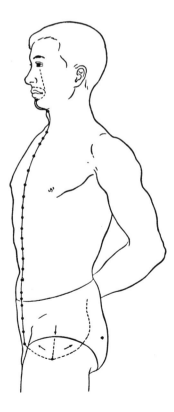

Fig. 62

Aplicação: agulhar 0,6-2 polegadas; moxa, 10 minutos.
Indicações: impotência; espermatorreia; menstruação irregular; leucorreia; cólica de menstruação; inflamação dos órgãos da pélvis; distúrbios de micção; enurese noturna.

3. Zhongji (RM3): ponto Mu da bexiga
Localização: na linha central do abdômen; 1 polegada (um quinto da distância entre o umbigo e a sínfise púbica) do ponto Qugu (RM2) (Fig. 63).
Aplicação: agulhar, perpendicularmente, 0,5-1,5 polegada; acima da fáscia abdominal.
Indicações: impotência; espermatorreia; menstruação irregular; amenorreia; cólica de menstruação; inflamação dos órgãos da pélvis; distúrbios de micção; enurese noturna; doenças da bexiga.

4. Guanyuan (RM4): ponto Mu do intestino delgado
Localização: 3 polegadas abaixo do umbigo, na linha central do abdômen (Fig. 63).
Aplicação: agulhar, perpendicularmente, 0,5-1,5 polegada acima da fáscia abdominal.
Indicações: impotência; distúrbio de menstruação; espermatorreia; enurese noturna; problemas dos órgãos da pélvis; problemas do intestino delgado; dor no abdômen; diarreia.

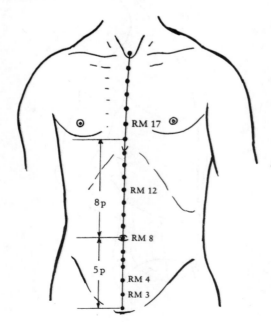

Fig. 63

5. Shimen (RM5): ponto Mu do triplo-aquecedor

Localização: 2 polegadas abaixo do umbigo; na linha central do abdômen (Fig.63).

Aplicação: igual à do ponto Guanyuan (RM4).

Indicações: distúrbios de menstruação; espermatorreia; problemas nos órgãos genitais; hemorragia pós-parto; dispepsia; ascite; cólica abdominal; diurese.

6. Qihai (RM6)

Localização: 1,5 polegada abaixo do umbigo, na linha central do abdômen (Fig.63).

Aplicação: igual à do ponto Guanyuan (RM4).

Indicações: distensão abdominal; dor no abdômen; cólica ao redor do umbigo; menstruação irregular; hemorragia do útero; espermatorreia; enurese; distúrbio urogenital; lombalgia.

7. Yinjiao (do abdômen) (RM7)

Localização: 1 polegada abaixo do umbigo, na linha central do abdômen (Fig. 63).

Aplicação: igual à do ponto Guanyuan (RM4).

Indicações: qualquer problema dos órgãos genitais; menstruação irregular; leucorreia; hemorragia pós-parto; cólica abdominal; hérnia.

8. Shenjue (RM8)

Localização: no centro do umbigo (Fig. 63).

Aplicação: colocar a moxa sobre sal ou gengibre, 10 a 20 minutos.

Indicações: diarreia; dor abdominal; apoplexia; prolapso anal.

9. Shuiefen (RM9)

Localização: 1 polegada acima do umbigo, na linha central do abdômen (Fig. 63).

Aplicação: agulhar, perpendicularmente, 0,5-1 polegada; moxa, 10 a 20 minutos.

Indicações: distensão e dor abdominal; borborigmo; diarreia; edema; ascite.

10. Xiawan (RM10)

Localização: 2 polegadas acima do umbigo, na linha central do abdômen (Fig. 63).

Aplicação: agulhar, perpendicularmente, 0,5-1 polegada; moxa, 10 a 20 minutos.

Indicações: gastrite; enterite; dispepsia; distensão abdominal; borborigmo; vômito.

11. Jianli (RM11)

Localização: 3 polegadas acima do umbigo, na linha central do abdômen (Fig. 63).
Aplicação: igual à do ponto Xiawan (RM10).
Indicações: distensão abdominal; borborigmo; dispepsia; náuseas e vômito; peritonite; edema.

12. Zhongwan (RM12): ponto Mu do estômago

Localização: 4 polegadas acima do umbigo, na linha central do abdômen; no meio ponto entre o processo xifoide e o umbigo (Fig. 63).
Aplicação: agulhar, perpendicularmente, até na fáscia do abdômen 0,5-1,5 polegada; moxa, 10 a 20 minutos.
Indicações: epigastralgia; distensão abdominal; borborigmo; dor intestinal; diarreia; regurgitação de ácido; dispepsia; vômito; icterícia.

13. Shangwan (RM13)

Localização: 5 polegadas acima do umbigo, 1 polegada acima do Zhongwan (RM12), na linha central do abdômen (Fig. 63).
Aplicação: igual à do ponto Zhongwan (RM12).
Indicações: gastrite; úlcera péptica; dor abdominal; distensão abdominal; vômito; diarreia; dor no coração.

14. Jujue (RM14): ponto Mu do coração

Localização: 2 polegadas acima do Zhongwan (RM12), na linha central do abdômen (Fig. 63).
Aplicação: igual à do ponto Zhongwan (RM12).
Indicações: dor no coração; *angina pectoris*; acidez; vômito; dor de estômago; distensão abdominal; palpitação; comportamento neurótico; falta de memória; hematêmese.

15. Jiuwei (RM15)

Localização: 3 polegadas acima do Zhongwan (RM12), na linha central do abdômen (Fig. 63).
Aplicação: igual à do ponto Zhongwan (RM12).
Indicações: dor no coração; epigastralgia; vômito; soluço; opressão no peito; distensão abdominal; asma; hematêmese; comportamento neurótico; epilepsia.

16. Zhongting (RM16)

Localização: na linha medial do esterno, no nível do quinto espaço intercostal, 1,6 polegada abaixo do Shangzhong (RM17) (Fig. 63).
Aplicação: agulhar, obliquamente, 0,3-0,5 polegada.
Indicações: opressão no peito; dor na garganta; distensão do estômago; vômito; regurgitação de ácido; tosse.

17. Shangzhong (RM17)

Localização: na linha medial do esterno no nível do mamilo (Fig. 63).
Aplicação: agulhar, obliquamente, 0,3-1,5 polegada.
Indicações: dispneia; asma; opressão no peito; soluço; dor no coração; tiroidite; bronquite.

18. Yutang (RM18)

Localização: na linha central do esterno, no nível do espaço da terceira intercostal (Fig. 63).
Aplicação: igual à do ponto Shangzhong (RM17).
Indicações: bronquite; asma; tosse; dor no peito.

19. Zigong (do peito) (RM19)

Localização: na linha central do esterno, no nível do segundo espaço intercostal (Fig. 63).
Aplicação: igual à do ponto Shangzhong (RM17).
Indicações: bronquite; asma; pleurite; hemoptise; tuberculose.

20. Huagai (RM20)

Localização: na linha central e/ou medial do esterno, no nível da junção entre o manúbrio e o corpo do esterno (Fig. 63).
Aplicação: agulhar, obliquamente, 0,3-1,5 polegada.
Indicações: dor de garganta; tosse; asma; amigdalite; opressão no peito.

21. Xuanji (RM21)

Localização: na linha central do esterno, no nível da linha da borda inferior da clavícula (Fig. 63).
Aplicação: agulhar, obliquamente, 0,3-0,5 polegada; moxa, 10 a 15 minutos.
Indicações: dor de garganta; tosse; asma; amigdalite; opressão no peito.

22. Tiantu (RM22)

Localização: no ponto central, na fossa supraesternal; 0,5 polegada acima da borda da incisura jugular (Figs. 63 e 64).

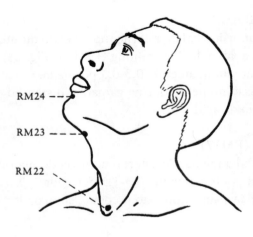

Fig. 64

Aplicação: agulhar, obliquamente, para baixo do manúbrio esterno, 0,5-1,5 polegada ou perpendicularmente 0,3 polegada; moxa, 10 a 20 minutos.
Indicações: asma; bronquite; faringite; distúrbio das cordas vocais; amigdalite; soluço.

23. Lianquan (RM23)
Localização: na linha central do pescoço, no meio ponto entre a cartilagem tireoide e a borda inferior da mandíbula (Fig. 64).
Aplicação: agulhar, perpendicularmente, 0,3-0,5 polegada.
Indicações: faringite; laringite; estomatite; afasia; dificuldade em engolir.

24. Chengjiang (RM24)
Localização: na linha central do rosto, na depressão abaixo do lábio inferior (Fig.64).
Aplicação: agulhar 0,3-0,5 polegada.
Indicações: paralisia facial; gengivite; inchaço no rosto; dor de dentes.

Chong-Mai (O meridiano da vitalidade)

I. Trajetória

Este meridiano tem sua origem na pélvis, ligando-se, portanto, aos seus órgãos. Seu ramal mais profundo sobe por trás da pélvis, passa pelo períneo ao lado das vértebras, voltando ao peito.

O ramal superficial sobe pela frente do abdômen, pelo mesmo trajeto do meridiano dos rins até a garganta, passando ao redor dos lábios (Fig. 65).

II. Sintomatologia

É um meridiano muito importante por sua função; ele controla a energia das vísceras, especialmente a dos órgãos da pélvis.

Os sintomas principais são: mal-estar; cólica abdominal; problemas ginecológicos.

III. Os pontos do Chong-Mai

Huiyin (RM1); Qichong (E30); Henggu (R11); Dahe (R12); Qixue (R13); Siman (R14); Zhongzhu (do abdômen) (R15); Huangshu (R16); Shanggu (R17); Shiguan (R18); Yindu (R19); Tonggu (do abdômen) (R20); Youmen (R21) (Fig. 65).

Dai-Mai (O meridiano da cintura)

I. Trajetória

Este meridiano sai da região dorsolombar, anda obliquamente para a frente acima do quadril e abaixo do umbigo, contornando o tronco como um cinto (Fig. 66).

II. Sintomatologia

Ele faz a ligação dos meridianos Yin e Yang no meio do tronco. Os sintomas principais são: distensão abdominal; lombalgia e fraqueza da região lombar e das pernas; menstruação irregular; leucorreia.

III. Os pontos do Dai-Mai

Zhangmen (F13); Daimai (VB26); Wushu (VB27); Weidao (VB28) (Fig. 66).

Yinchiao-Mai (O meridiano da motilidade de Yin)

I. Trajetória

Este meridiano começa atrás do osso navicular do pé, no lado inferior do maléolo medial. Sobe pelo lado posterior do maléolo medial e pela borda posteromedial da tíbia, passando pelo joelho e lado medial da coxa até a região genital externa.

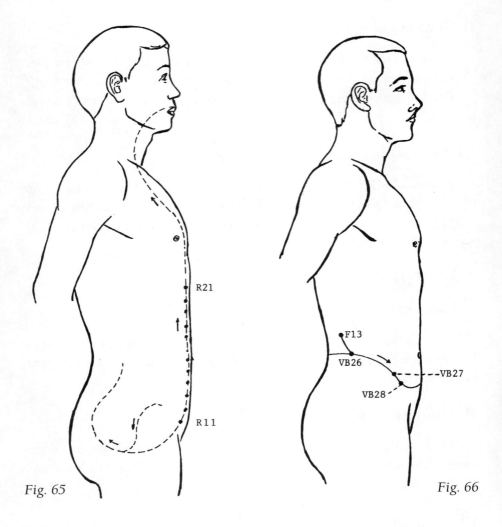

Fig. 65   Fig. 66

Sobe pelo lado anterolateral do abdômen pelo peito; passa pela articulação supraclavicular, na borda lateral da cartilagem tireoide, subindo pelo lado do rosto na borda do processo zigomático e liga-se com Yangchiao-Mai (Fig. 67).

II. Sintomatologia

Os problemas do Yinchiao-Mai apresentam os seguintes sintomas: espasmo muscular no lado medial da perna; epilepsia; convulsão; dor no olho, no ângulo medial, e conjuntivite; distúrbio motor nos membros; adormecimento nas pernas; cólica abdominal na pélvis; dor no quadril e no genital externo; leucorreia.

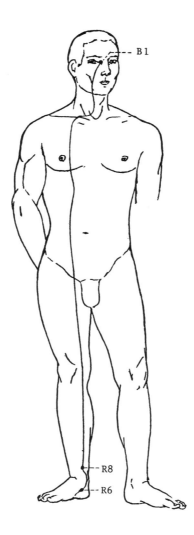

Fig. 67

III. Os pontos coalescentes

Zhaohai (R6); Jiaoxin (R8); Jingming (B1) (Fig. 67).

Yangchiao-Mai (O meridiano da motilidade de Yang)

I. Trajetória

Este meridiano começa no calcanhar, sobe pelo lado do maléolo lateral e posterior da fíbula, passa na lateral do joelho, coxa e quadril. Sobe pelo lado do tronco do corpo até o ombro, depois pelo lado do pescoço e rosto para o olho e liga-se com Yinchiao-Mai no ângulo medial.

Depois sobe pelo caminho do meridiano da bexiga chegando atrás da nuca, ligando-se com o meridiano da vesícula biliar no Fengchi (VB20) (Fig. 68).

II. Sintomatologia

Os sintomas principais deste meridiano são: espasmo muscular no lado da perna; epilepsia; convulsão; dor nas costas e na região lombar; dor nos olhos; insônia; adormecimento nas pernas.

III. Os pontos coalescentes

Shenmai (B62); Pushen (B61); Fuyang (B59); Juliao (do fêmur) (VB29); Naoshu (ID10); Jianyu (IG15); Jugu (IG16); Ditsang (E4); Juliao (E3); Chengoi (E1); Jingming (B1); Fengchi (VB20) (Fig. 68).

Yinwei-Mai (O meridiano regular de Yin)

I. Trajetória

Este meridiano começa no lado medial da perna, sobe ao longo da borda medial do joelho, e da coxa até o abdômen. Reúne-se ao meridiano do baço-pâncreas; sobe pelo lado do peito, seguindo para o pescoço onde se une ao Ren-Mai (Fig. 69).

II. Sintomatologia

Os sintomas principais são: dor no coração; dor epigástrica; opressão na axila; dor lombar e dor no órgão genital externo.

III. Os pontos coalescentes

Zhubin (R9); Fushe (BP13); Daheng (BP15); Fuai (BP16); Quimen (F14); Tiantu (RM22); Lianquan (RM23) (Fig. 69).

Yangwei-Mai (O meridiano regular de Yang)

I. Trajetória

Este meridiano começa no calcanhar e sobe passando pelo lado do maléolo externo; ao longo do trajeto do meridiano da vesícula biliar, passa pelo quadril, ao lado do corpo, da parte posterior da axila e por trás do om-

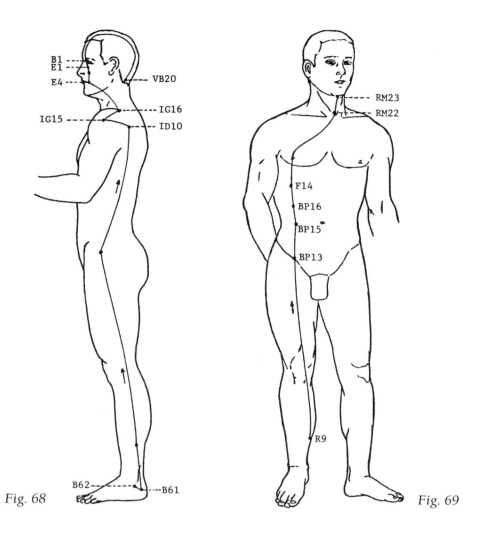

Fig. 68   Fig. 69

bro. Depois, sobe pelo supraescapular, para o pescoço até a região frontal e, mudando de direção, vira para trás, seguindo o caminho do meridiano da vesícula biliar, para o lado posterior da nuca. Comunica-se, então, com Du-Mai (Fig. 70).

II. Sintomatologia: frio e febre.

III. Os pontos coalescentes

Jinmen (B63); Yiangjiao (VB35); Naoshu (ID10); Tianliao (TA15); Jianjing (VB21); Touwei (E8); Benshen (VB13); Yangbai (VB14); Linqi (da cabeça) (VB15); Muchuang (VB16); Zhengying (VB17); Chengling (VB18); Naokong (VB19); Fengchi (VB20); Fengchu (DM16); Yamen (DM15) (Fig. 70).

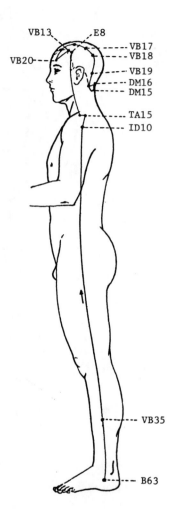

Fig. 70

CAPÍTULO 6

Pontos Extrameridianos

Com o decorrer do tempo, os pontos extrameridianos têm aumentado. Os 120 pontos descritos a seguir são os mais utilizados na clínica.

Nas regiões da cabeça e da nuca

1. Si-Shen-Tsung (Ext1)
Localização: 1 polegada na frente, atrás e nos lados do ponto Baihui (DM20) (Fig.71).
Aplicação: agulhar, obliquamente, 0,1-0,3 polegada.
Indicações: cefaleia; tontura; vertigem; convulsão; distúrbio mental.

2. Jia-Shang-Xing (Ext2)
Localização: 3 polegadas nos lados do ponto Shangxing (DM23) (Fig. 71).
Aplicação: Moxa, cerca de 30 minutos ou mais.
Indicações: Polipose nasal; rinite.

3. Dang-Yang (Ext3)
Localização: na linha vertical que passa pela pupila, 1 polegada acima da borda do couro cabeludo (Fig. 72).
Aplicação: agulhar 0,2-0,3 polegada; moxa, 1 a 3 minutos.
Indicações: enxaqueca; tontura; vertigem; resfriado; obstrução nasal; conjuntivite.

4. Er-Zhung (Ext4)
Localização: 1 polegada acima do ponto Yin-Tang (Ext5) (Fig. 72).
Aplicação: agulhar, obliquamente, 0,1-0,2 polegada; moxa, 1 a 3 minutos.
Indicações: furunculose nas pálpebras; vômito; tontura; vertigem; sinusite frontal; paralisia facial.

171

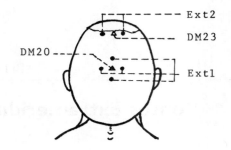

Fig. 71

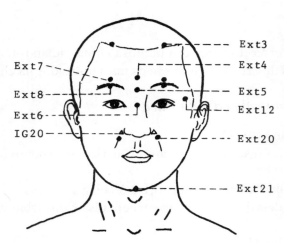

Fig. 72

5. Yin-Tang (Ext5)

Localização: no meio da linha entre as sobrancelhas (Fig. 72).
Aplicação: agulhar, obliquamente, 0,1-0,2 polegada; moxa, 1 a 2 minutos.
Indicações: cefaleia frontal; tontura; vertigem; problema do nariz e dos olhos; insônia; hipertensão; convulsão infantil.

6. Shan-Quen (Ext6)

Localização: No meio da linha que liga as comissuras internas dos olhos (Fig. 72).
Aplicação: agulhar, obliquamente, 0,1-0,2 polegada.
Indicações: enxaqueca; tontura; visão perturbada.

7. Tou-Kuang-Min (Ext7)

Localização: na linha vertical que passa pela pupila, na borda superior da sobrancelha (Fig. 72).
Aplicação: agulhar, obliquamente, 0,1-0,3 polegada.

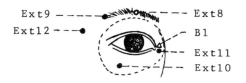

Fig. 73

Indicações: miopia; inflamação nas pálpebras; paralisia dos músculos orbiculares; enxaqueca.

8. Yu-Yao (Ext8)
Localização: na linha vertical que passa pela pupila, na depressão mediana da sobrancelha (Fig. 72).
Aplicação: agulhar, obliquamente, 0,1-0,3 polegada.
Indicações: pterígio; conjuntivite; furunculose nas pálpebras; paralisia facial; paralisia dos músculos orbiculares.

9. Yu-Wei (Ext9)
Localização: no lado externo, 0,1 polegada das comissuras externas dos olhos (Fig.73).
Aplicação: agulhar, obliquamente, 0,1-0,3 polegada.
Indicações: problema nos olhos; paralisia facial; enxaqueca.

10. Chiu-Hou (Ext10)
Localização: na pálpebra inferior, abaixo dos olhos, na borda da margem infraorbital das comissuras externas, a 1/4 de distância das comissuras externas dos olhos (Fig. 73).
Aplicação: agulhar, pela borda infraorbital, 0,5-1,5 polegada.
Indicação: qualquer problema nos olhos.

11. Jien-Min (Ext11)
Localização: 0,4 polegada abaixo do ponto Jingming (B1), na borda medial da margem infraorbital (Fig. 73).
Aplicação: ao longo da borda da margem infraorbital; agulhar, na direção do lado inferior e medial do olho, 0,5-1,5 polegada.
Indicações: catarata; atrofia do nervo ótico; rinite; estrabismo; inflamação da glândula lacrimal.

12. Tai-Yang (Ext12)
Localização: na depressão, 1 polegada atrás do espaço entre a extremidade externa da sobrancelha e as comissuras externas dos olhos (Figs. 72 e 74).

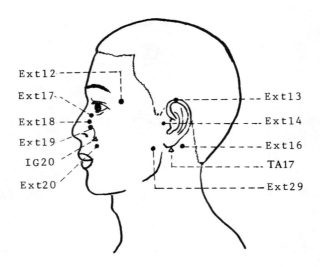

Fig. 74

Aplicação: agulhar, obliquamente, 0,5-1 polegada, ou agulhar para sangrar uma a duas gotas.
Indicações: cefaleia; doenças nos olhos.

13. Er-Jian (Ext13)
Localização: dobrando a orelha para a frente, o ponto fica na parte mais saliente do pavilhão auricular (Fig. 74).
Aplicação: agulhar, perpendicularmente, 0,1-0,2 polegada.
Indicações: enxaqueca; tracoma; pterígio.

14. Lung-Xue (Ext14)
Localização: no meio do ponto da linha que liga o ponto Tinggong (ID19) ao ponto Ermen (TA21) (Fig. 74).
Aplicação: agulhar, perpendicularmente, 0,1-0,2 polegada.
Indicação: surdez.

15. Hou-Ting-Hwei (Ext15)
Localização: na depressão posteroinferior do pavilhão auricular, 0,5 polegada acima do ponto Yifeng (TA17) (Figs. 74 e 75).
Aplicação: agulhar, obliquamente, no sentido anteroinferior, 1,5-2 polegadas.
Indicações: zumbido; surdez.

16. Yi-Ming (Ext16)
Localização: na borda inferior do processo mastoide, 1 polegada atrás do ponto Yifeng (TA17) (Figs. 74 e 75).

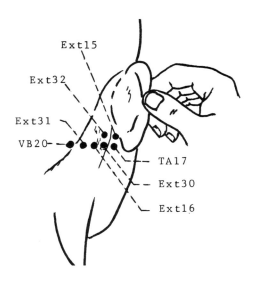

Fig. 75

Aplicação: agulhar, perpendicularmente, 0,5-1 polegada.
Indicações: miopia; hipermetropia; catarata; insônia.

17. Shang-Ying-Hsiang (Ext17)
Localização: 0,5 polegada abaixo das comissuras internas dos olhos (Fig. 74).
Aplicação: agulhar, obliquamente, 0,3-0,5 polegada.
Indicações: rinite alérgica, atrófica ou hipertrófica; sinusite; polipose nasal.

18. Jian-Bi (Ext18)
Localização: na zona de transição entre o osso e a cartilagem nasal (Fig. 74).
Aplicação: agulhar 0,2-0,3 polegada.
Indicações: rinite alérgica, atrófica; polipose nasal.

19. Bi-Tung (Ext19)
Localização: no lado do nariz, o ponto fica no ponto final superior da linha nasolabial (Fig. 74).
Aplicação: agulhar, obliquamente, 0,3-0,6 polegada, no sentido superomedial.
Indicações: rinite; obstrução nasal; ulceração do nariz.

20. San-Xiao (Ext20)
Localização: no lado inferior externo do ponto Yingxiang (IG20) (Fig. 74).

Aplicação: agulhar, obliquamente, 0,3-0,5 polegada.
Indicações: rinite; obstrução nasal; paralisia facial ou espasmo facial.

21. Ti-Hou (Ext21)
Localização: no plano sagital, o ponto mais saliente do queixo (Fig. 74).
Aplicação: agulhar, obliquamente, 0,2-0,3 polegada.
Indicações: dor nos dentes da arcada inferior; inchaço na face; paralisia facial.

22. Jinjing-Yuye (Ext22)
Localização: ao dobrar a língua para cima, em cima da veia na ponta lateral dos feixes venosos. O ponto da direita chama-se Yuye e o da esquerda Jinjing (Fig.76).
Aplicação: agulhar, para sangrar.
Indicações: ulceração na boca ou língua; estomatite; amigdalite; faringite; voz rouca.

23. Shan-Lian-Chuan (Ext23)
Localização: 1 polegada acima do processo da cartilagem tireoide, acima do osso hioide (Fig. 76).
Aplicação: agulhar, obliquamente, em direção à base da língua, 1-2 polegadas.
Indicações: excesso de salivação; laringite aguda ou crônica; estomatite; afasia; mudez.

24. Wai-Jinjing-Yuye (Ext24)
Localização: com a cabeça esticada, fica a 1 polegada acima da cartilagem cricoide e 0,3 polegada da linha central (Fig. 76).
Aplicação: agulhar, obliquamente, na direção da raiz da língua, 1-2 polegadas.
Indicações: excesso de salivação; estomatite; apoplexia e afasia; mudez.

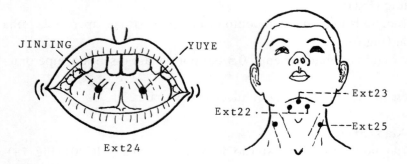

Fig. 76

25. Luo-Jing (Ext25)
Localização: na borda lateral do músculo esternoclidomastóideo. Na porção 1/3 superior (Fig. 76).
Aplicação: agulhar, obliquamente, 0,5-1 polegada.
Indicações: torcicolo; espondilite cervical.

26. Xing-Shi (Ext26)
Localização: 1,5 polegada lateralmente à linha mediana, no nível da borda inferior do processo espinhoso do C3 (Fig. 77).
Aplicação: agulhar, perpendicularmente, 0,5-1 polegada.
Indicações: torcicolo; espondilose cervical; faringite; cefaleia; occipitalgia; dor na região escapular.

27. Bai-Lao (Ext27)
Localização: no nível, 2 polegadas acima do ponto Dazhui (DM14), 1 polegada ao lado da linha medial (Fig. 77).
Aplicação: agulhar, perpendicularmente, 0,5-1 polegada.
Indicações: tosse; torcicolo; dor e rigidez no pescoço; torção ou trauma na nuca; calor pós-parto no corpo.

28. Tsung-Gu (Ext28)
Localização: abaixo do processo espinhoso do C6 (Fig. 77).
Aplicação: agulhar, obliquamente, 0,5-1 polegada; moxa, 5 a 10 minutos.
Indicações: resfriado; malária; dor no pescoço; tuberculose pulmonar; bronquite; epilepsia; ânsia de vômito.

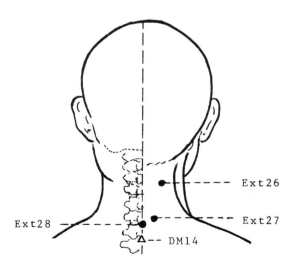

Fig. 77

29. Chian-Cheng (Ext29)

Localização: 0,5 polegada inferior e 1 polegada anterior do lóbulo auricular (Fig.74).
Aplicação: agulhar, obliquamente, para a frente, 0,3-0,5 polegada.
Indicações: paralisia facial; estomatite.

30. An-Min-l (Ext30)

Localização: no meio da linha que liga os pontos Yifeng (TA17) e Yi-Ming (Ext16) (Fig. 75).
Aplicação: agulhar, perpendicularmente, 0,5-1,5 polegada.
Indicações: insônia; enxaqueca; esquizofrenia.

31. An-Min-2 (Ext31)

Localização: no meio da linha que liga os pontos Fengchi (VB20) e Yi-Ming (Ext 16) (Fig. 75).
Aplicação: agulhar 0,5-1 polegada.
Indicações: insônia; ansiedade; intranquilidade; palpitação; esquizofrenia.

32. Xing-Feng (Ext32)

Localização: na região superoposterior do processo mastoide, 0,5 polegada acima do ponto An-Min-1 (Ext 30) (Fig. 75).
Aplicação: agulhar, obliquamente, 0,5-1 polegada.
Indicação: muito sono.

Na região toracoabdominal

33. Chi-Xue (Ext33)

Localização: 1 polegada do ponto Xuanji (RM21) lateralmente (Fig. 78).
Aplicação: agulhar, obliquamente, 0,5-1 polegada.
Indicações: asma; tosse; pleurite; nevralgia intercostal.

34. Tan-Chuan (Ext34)

Localização: 1,8 polegada no lado lateral do ponto Yingchung (E16) (Fig. 78).
Aplicação: agulhar, obliquamente, 0,5-1 polegada.
Indicações: bronquite crônica; asma; enfisema.

35. Tsouyi e Youyi (Ext35)

Localização: 1 polegada lateralmente do ponto Rugen (E18); no lado esquerdo chama-se Tsouyi, e no lado direito Youyi (Fig. 78).

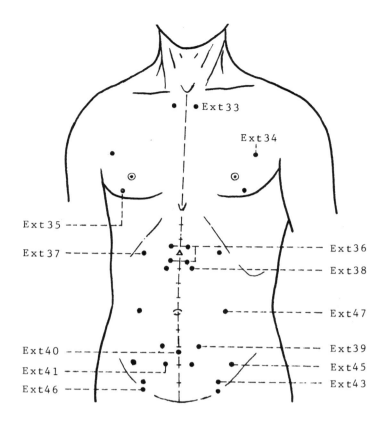

Fig. 78

Aplicação: agulhar, obliquamente, 0,5-1 polegada.
Indicações: mastite; pleurite; nevralgia intercostal.

36. Mei-Hua (Ext36)
Localização: o ponto Zhongwan (RM12), 0,5 polegada acima e abaixo dos pontos Yindu (R19), totalizando cinco pontos (Fig. 78).
Aplicação: agulhar, perpendicularmente, 1-2 polegadas.
Indicações: gastrite; úlcera péptica; indigestão; dispepsia; falta de apetite.

37. Shi-Tsang (Ext37)
Localização: 3 polegadas do ponto Zhongwan (RM12), lateralmente (Fig.78).
Aplicação: agulhar, perpendicularmente, 1-2 polegadas.
Indicações: gastrite; úlcera; dispepsia; impotência; menorragia.

38. Shi-Kuan (Ext38)
Localização: 1 polegada lateralmente do ponto Jianli (RM11) (Fig. 78).

Aplicação: agulhar, perpendicularmente, 1-2 polegadas.
Indicações: gastrite; indigestão; soluço; enterite.

39. Wai-Si-Man (Ext39)
Localização: 1 polegada do ponto Siman (R14), lateralmente (Fig. 78).
Aplicação: moxa, 5 a 20 minutos.
Indicação: distúrbios de menstruação.

40. Jue-Yun (Ext40)
Localização: 0,3 polegada abaixo do ponto Shimen (RM5) (Fig. 78).
Aplicação: moxa, 5 a 20 minutos.
Indicações: esterilidade; diarreia.

41. Yi-Jing (Ext41)
Localização: 1 polegada lateralmente do ponto Guanyuan (RM4) (Fig. 78).
Aplicação: agulhar, perpendicularmente, 1-2 polegadas, em cima da fáscia do músculo abdominal.
Indicações: espermatorreia; ejaculação precoce; impotência; eczema ou dermatite no escroto.

42. Wei-Bao (Ext42)
Localização: Na espinha ilíaca anterossuperior, 6 polegadas lateralmente do ponto Guanyuan (RM4) (Fig. 79).
Aplicação: agulhar, obliquamente, 2-3 polegadas, ao longo da linha inguinal.
Indicação: prolapso uterino.

43. Chang-Yi (Ext43)
Localização: 2,5 polegadas do ponto Zhongji (RM3), lateralmente (Fig. 78).
Aplicação: agulhar, perpendicularmente, 1-2 polegadas.
Indicações: constipação; leucorreia; irregularidade menstrual; orquite; dor no pênis.

44. Tsi-Kung (Ext44)
Localização: 3 polegadas do ponto Zhongji (RM3), lateralmente (Fig. 79).
Aplicação: agulhar, perpendicularmente, 1-2 polegadas.
Indicações: prolapso uterino; distúrbio menstrual; endometriose; esterilidade.

45. Ti-Tuo (Ext45)
Localização: 4 polegadas do ponto Guanyuan (RM4), lateralmente (Fig. 78).
Aplicação: agulhar, perpendicularmente, 0,8-1 polegada.
Indicações: prolapso uterino; dor no baixo-ventre; hérnia.

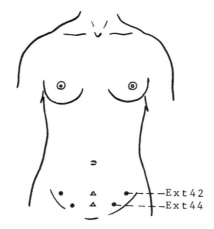

Fig. 79

46. Tsung-Jian (Ext 46)
Localização: 3 polegadas do ponto Qugu (RM2), lateralmente (Fig. 78).
Aplicação: agulhar, perpendicularmente, 1-2 polegadas.
Indicação: prolapso uterino.

47. Heng-Wen (Ext47)
Localização: 0,5 polegada medialmente do ponto Daheng (BP15) (Fig. 78).
Aplicação: moxa, 5 a 20 minutos.
Indicações: excesso de transpiração; fraqueza nas pernas.

Na região dorsolombar

48. Chuan-Xi (Ext48)
Localização: 1 polegada lateral do ponto Dazhui (DM14) (Fig.80).
Aplicação: agulhar, obliquamente, 0,5-1 polegada.
Indicações: asma; alergia.

49. Ting-Chuan (Ext49)
Localização: 0,5 polegada lateral do ponto Dazhui (DM14) (Fig.80).
Aplicação: agulhar, perpendicularmente, 1 polegada.
Indicações: asma; bronquite; fraqueza nos membros superiores.

50. Wai-Ting-Chuan (Ext50)
Localização: 1,5 polegada lateral do ponto Dazhui (DM14) (Fig. 80).
Aplicação: agulhar, obliquamente, 0,5-1 polegada.
Indicações: asma; bronquite.

51. Ba-Hua (Ext51)

Localização: delimita-se 1/4 de distância intermamilar, descrevendo-se um triângulo equilátero e colocando-se o ponto Dazhui (DM14) como ápice do triângulo, os outros dois ângulos correspondem aos pontos; a seguir, coloca-se o ápice do triângulo no ponto médio entre os dois primeiros pontos, e os dois ângulos corresponderão a dois outros pontos; repete-se a sequência mais duas vezes, até completar oito pontos (Fig. 81).

Aplicação: agulhar, obliquamente, 0,5-1 polegada.

Indicações: asma; bronquite; tuberculose pulmonar; fraqueza; suor noturno; artralgia.

52. Zhu-Tse (Ext52)

Localização: 0,5 polegada lateralmente da linha mediana, no nível da borda inferior do processo espinhoso da T3 (Fig. 80).

Aplicação: agulhar, obliquamente, 0,5-1 polegada.

Indicações: pneumonia; bronquite; lombalgia; dor torácica e abdominal resistente ao tratamento.

53. Ju-Jue-Shu (Ext53)

Localização: na depressão abaixo do processo espinhoso da T4 (Fig. 80).

Aplicação: agulhar, obliquamente, 0,5-1 polegada.

Indicações: bronquite; asma; cardiopatia; neurastenia; nevralgia intercostal.

54. Wei-Re-Xue (Ext54)

Localização: 0,5 polegada lateralmente da linha mediana, no nível da borda inferior do processo espinhoso da T4 (Fig. 80).

Aplicação: agulhar, obliquamente, 0,5-1 polegada.

Indicações: doenças gástricas; dor de dentes.

55. Zhong-Chuan (Ext55)

Localização: 0,5 polegada lateralmente da linha mediana, no nível da borda inferior do processo espinhoso da T5 (Fig. 80).

Aplicação: agulhar, perpendicularmente, 0,5-1 polegada.

Indicações: asma; bronquite; dorsalgia; dor no peito.

56. Pi-Re-Xue (Ext56)

Localização: 0,5 polegada lateralmente da linha mediana, no nível da borda inferior do processo espinhoso da T6 (Fig. 80).

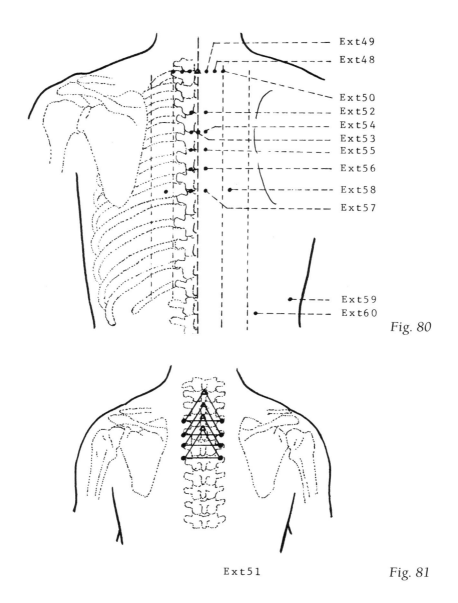

Fig. 80

Fig. 81

Aplicação: agulhar, obliquamente, 0,5-1 polegada.
Indicações: indigestão; esplenomegalia; pancreatite.

57. Shen-Re-Xue (Ext57)
Localização: 0,5 polegada lateralmente da linha mediana, no nível da borda inferior do processo espinhoso da T7 (Fig. 80).
Aplicação: agulhar, obliquamente, 0,5-1 polegada.
Indicações: nefrite; infecção das vias urinárias.

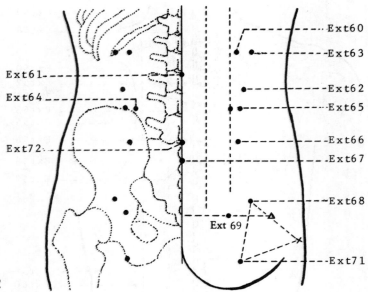

Fig. 82

58. Chi-Chuan (Ext58)
Localização: 2 polegadas lateralmente ao processo espinhoso da T7 (Fig. 80).
Aplicação: agulhar, obliquamente, 0,5-1 polegada.
Indicações: asma; bronquite; pleurite; palpitação.

59. Kuei-Yang-Xue (Ext59)
Localização: 6 polegadas lateralmente da linha mediana, no nível da borda inferior do processo espinhoso da T12 (Figs. 80 e 82).
Aplicação: agulhar, obliquamente, 0,3-0,5 polegada.
Indicações: úlcera gástrica; úlcera duodenal.

60. Pi-Gen (Ext60)
Localização: 3,5 polegadas lateralmente da linha mediana, no nível da borda inferior do processo espinhoso da L1 (Figs. 80 e 82).
Aplicação: agulhar, perpendicularmente, 1-1,5 polegada.
Indicações: hepatoesplenomegalia; gastrite; enterite; lombalgia.

61. Xue-Chou (Ext61)
Localização: no processo espinhoso da L2, entre os pontos Xuanshu (DM5) e Mingmen (DM4) (Fig. 82).
Aplicação: moxa, 5 a 10 minutos.
Indicações: melena; hemoptise; hematêmese.

62. Ji-Ju-Pi-Kuai (Ext62)

Localização: 4 polegadas lateralmente da linha mediana, no nível da borda inferior do processo espinhoso da L2 (Fig. 82).
Aplicação: agulhar, perpendicularmente, 1-1,5 polegada.
Indicações: hepatoesplenomegalia; edema dos ovários; enterite; indigestão.

63. Wei-Xu (Ext63)

Localização: na borda inferior da décima segunda costela dorsal, lateralmente ao músculo cilioespinhal no nível da L2 (Fig. 82).
Aplicação: agulhar, perpendicularmente, 1-2,5 polegadas.
Indicações: dor gástrica; espasmo gástrico.

64. Yao-Yi (Ext64)

Localização: 3 polegadas lateralmente da linha mediana, no nível da borda inferior do processo espinhoso da L4 (Fig. 82).
Aplicação: agulhar, perpendicularmente, 1,5-2 polegadas.
Indicação: lombalgia.

65. Yao-Yian (Ext65)

Localização: 3,8 polegadas lateralmente da linha mediana, no nível da borda inferior do processo espinhoso da L4 (Fig. 82).
Aplicação: agulhar, perpendicularmente, 1,5-2 polegadas.
Indicações: lombalgia; orquite; doenças ginecológicas.

66. Chong-Kung (Ext66)

Localização: 3,5 polegadas lateralmente da linha mediana, no nível da borda inferior do processo espinhoso da L5 (Fig. 82).
Aplicação: agulhar, perpendicularmente, 1,5-2 polegadas.
Indicação: lombalgia.

67. Jiu-Ji (Ext67)

Localização: na depressão abaixo do processo espinhoso da S1 (Fig. 82).
Aplicação: moxa, 5 a 10 minutos.
Indicação: menorragia.

68. Tun-Zhung (Ext68)

Localização: traça-se uma linha ligando o trocanter maior do fêmur ao tubérculo isquiático; toma-se essa linha como base para um triângulo equilátero cujo ápice é o ponto (Fig. 82).

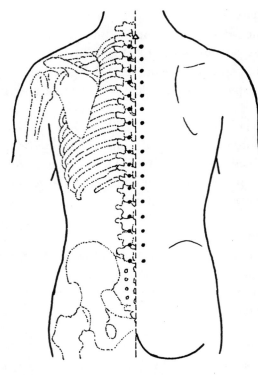

Fig. 83 Ext70

Aplicação: agulhar, perpendicularmente, 2-3 polegadas.
Indicações: dor ciática; fraqueza dos membros inferiores; sequela de paralisia infantil; alergia; frio nos pés.

69. Huan-Zhung (Ext69)

Localização: ponto médio entre a linha que liga os pontos Yaoshu (DM2) e Huantiao (VB30) (Fig. 82).
Aplicação: agulhar, perpendicularmente, 2-3 polegadas.
Indicações: dor ciática; lombalgia; dor na perna.

70. Hua-Tuo-Jia-Ji-Xue (Ext70)

Localização: 0,5 polegada lateralmente da linha mediana, no nível da borda inferior do processo espinhoso da T1 e L5, totalizando dezessete pares de pontos (Fig. 83).
Aplicação: agulhar, perpendicularmente, 1 polegada; dependendo da patologia pode-se aplicar em vários pontos ao mesmo tempo ou alternadamente.

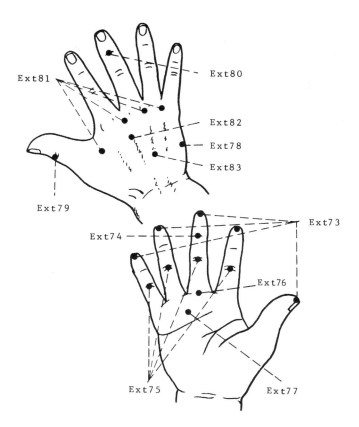

Fig. 84

Indicações: tuberculose pulmonar; asma; problemas nos sistemas gastrointestinais, vesículo-hepático, urinário e de reprodução; neurastenia; lombalgia; fraqueza.

71. Tsuo-Gu (Ext71)

Localização: 1 polegada abaixo do ponto médio da linha que liga o trocanter maior do fêmur à ponta do cóccix (Fig. 82).
Aplicação: agulhar, perpendicularmente, 2-3 polegadas.
Indicação: dor ciática.

72. Shi-Chi-Zui-Xia (Ext72)

Localização: na linha mediana do processo espinhoso, entre as vértebras L5 e S1 (Fig. 82).
Aplicação: agulhar, perpendicularmente, 0,3-0,7 polegada; moxa, 10 a 20 minutos.
Indicações: lombalgia; dor ciática; problemas dos órgãos pélvicos.

Na região dos membros superiores

73. Shi-Xuan (Ext73)
Localização: na ponta dos dedos da mão com 0,1 polegada de distância da unha (Fig. 84).
Aplicação: agulhar para sangrar.
Indicações: desmaio; insolação; convulsão infantil; histeria; ataque epilético.

74. Jiu-Tien-Feng (Ext74)
Localização: no ponto médio da prega distal do dedo médio da mão (Fig. 84).
Aplicação: moxa, 5 a 10 minutos.
Indicação: vitiligo.

75. Si-Fung (Ext75)
Localização: ponto médio da prega proximal do segundo, terceiro, quarto e quinto quilodáctilos (Fig. 84).
Aplicação: agulhar, superficialmente; faz-se pequena compressão no orifício até a saída de líquido amarelo e transparente.
Indicações: indigestivo infantil; tosse.

76. Shou-Zhong-Ping (Ext76)
Localização: no ponto médio da prega metacarpofalangiana do dedo médio da mão (Fig. 84).
Aplicação: agulhar, perpendicularmente, 2-3 polegadas.
Indicações: orofaringite.

77. Ya-Tung (Ext77)
Localização: na face palmar, 1 polegada proximal da terceira e quarta pregas metacarpofalangianas (Fig. 84).
Aplicação: agulhar, perpendicularmente, 0,5 polegada.
Indicação: dor de dentes.

78. Shang-Houxi (Ext78)
Localização: o ponto situa-se entre os pontos Houxi (ID3) e Wangu (ID4) (Fig. 84).
Aplicação: agulhar, perpendicularmente, 1-1,5 polegada.
Indicações: mudez; hipoacusia.

79. Ta-Gu-Kung (Ext79)
Localização: na face dorsomedial da articulação interfalagiana do polegar (Fig. 84).

Aplicação: moxa, 5 a 10 minutos.
Indicação: doenças oculares.

80. Zhong-Kuei (Ext80)
Localização: na face dorsal do dedo médio, no meio da articulação interfalagiana distal (Fig. 84).
Aplicação: moxa, 5 a 10 minutos.
Indicações: dor de dentes; soluço; inapetência; dor no estômago; vitiligo.

81. Ba-Xie (Ext81)
Localização: na face dorsal da mão, entre as cabeças dos metacarpos, quatro pontos de cada lado (Fig. 84).
Aplicação: agulhar, obliquamente, 0,5-1 polegada; ou agulhar superficialmente para sangrar.
Indicações: artrite na mão; inchaço no dorso da mão; dormência; cefaleia; dor de dentes; picadas de cobra.

82. Luo-Jen (Ext82)
Localização: no dorso da mão, 0,5 polegada proximal da articulação metacarpofalangiana do segundo e terceiro quilodáctilos (Fig. 84).
Aplicação: agulhar, oblíqua ou perpendicularmente, 0,5-1 polegada.
Indicações: torcicolo; dor no ombro e no braço; dor no estômago; dor na garganta.

83. Wai-Lao-Kung (Ext83)
Localização: no dorso e lado ulnar do terceiro metacarpo, no ponto médio da linha que liga o meio da prega transversal do punho à cabeça do terceiro metacarpo (Fig. 84).
Aplicação: agulhar, perpendicularmente, 0,3-0,5 polegada.
Indicações: formigamento na mão; paralisia no braço; edema; dor na face dorsal da mão; indigestão.

84. Er-Bai (Ext84)
Localização: 4 polegadas proximais do ponto médio da prega do punho, em um ponto situado entre os dois tendões; o outro ponto situa-se fora do tendão no seu lado radial (Fig. 85).
Aplicação: agulhar 0,5-1 polegada.
Indicações: hemorroidas; prolapso anal; dor no antebraço.

85. Tsun-Pin (Ext85)
Localização: 1 polegada proximal e radial do ponto médio da prega do punho (Fig. 85).

Aplicação: agulhar, perpendicularmente, 0,5-1 polegada.
Indicações: estado de choque; fraqueza.

86. Neu-Shang-Xue (Ext86)

Localização: com o cotovelo ligeiramente flexionado, a mão semifechada e com a palma virada medialmente, o ponto de encontro entre 1/4 e 3/4 da linha que liga os pontos Quchi (IG11) e Yangchi (TA4) (Fig. 85).
Aplicação: agulhar, 1,2 polegada, com estímulo forte; e simultaneamente pede-se que o paciente mova a região lombar.
Indicação: torção aguda na região lombar.

87. Bei-Zhong (Ext87)

Localização: no ponto médio da linha que liga os pontos médios da prega do punho e cotovelo, entre os dois ossos do antebraço (Fig. 85).
Aplicação: agulhar, perpendicularmente, transfixando todo o antebraço até o tecido subcutâneo do outro lado.
Indicações: fraqueza nos membros superiores; espasmo; dor no antebraço; histeria.

88. Ze-Chian (Ext88)

Localização: 1 polegada abaixo do ponto P5 na direção do dedo médio da mão (Fig. 85).
Aplicação: agulhar, perpendicularmente, 1-1,5 polegada.
Indicações: hipertireoidismo; formigamento nos membros superiores; dor no antebraço; contratura do braço.

89. Jian-San-Jen (Ext89)

Localização: são três pontos, o ponto Jianyu (IG15) e os pontos da face anterior do ombro, 1 polegada acima do final da prega axilar, na face posterior, 1,5 polegada acima do final da prega axilar.
Aplicação: agulhar, perpendicularmente ou transfixando os pontos anterior e posterior, 1-2 polegadas.
Indicações: dor no ombro; fraqueza e dormência nos membros superiores; dificuldade para levantar o braço.

90. Jian-Shu (Ext90)

Localização: no ponto médio da linha que liga os pontos Yunmen (P2) e Jianyu (IG15) (Fig. 85).

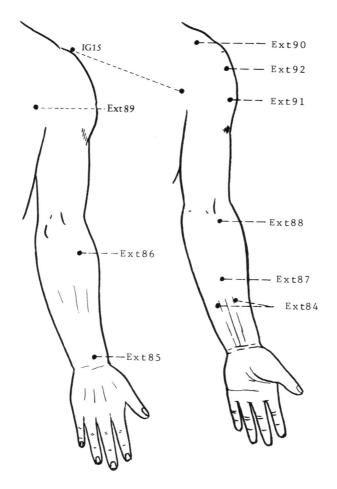

Fig. 85

Aplicação: agulhar 1-1,5 polegada.
Indicações: dor nos ombros e nos braços.

91. Zhu-Pei (Ext91)
Localização: entre as fibras do músculo deltoide, 2 polegadas abaixo do ponto Tai-Jian (Ext92) (Fig. 85).
Aplicação: agulhar, perpendicularmente, 0,5-1,5 polegada.
Indicações: periartrite nos ombros; sequela de paralisia infantil.

92. Tai-Jian (Ext92)
Localização: no lado anterolateral dos ombros, entre as fibras do músculo deltoide, 1,5 polegada abaixo do processo acrômio (Fig. 85).
Aplicação: agulhar, perpendicularmente, 0,5-1 polegada.
Indicações: periartrite nos ombros; sequela de paralisia infantil.

Na região dos membros inferiores

93. Chien-Hou-Yinju (Ext93)
Localização: na planta do pé, 0,5 polegada na frente e atrás do ponto Yongguan (R1) (Fig. 86).
Aplicação: agulhar 0,3-0,5 polegada.
Indicações: furunculose na perna; espasmo no ombro inferior; dor na planta da parte posterior do pé; palpitação; hipertensão arterial; convulsão infantil.

94. Tsu-Xin (Ext94)
Localização: 1 polegada atrás do ponto Yongguan (R1) (Fig.86).
Aplicação: agulhar, perpendicularmente, 0,5-1 polegada.
Indicações: menorragia; cefaleia; espasmo do músculo gastrogênico.

95. Shih-Min (Ext95)
Localização: no ponto médio da planta do calcanhar (Fig. 86).
Aplicação: agulhar, perpendicularmente, 0,2-0,3 polegada.
Indicações: insônia; dor na planta do pé.

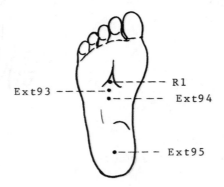

Fig. 86

96. Ba-Feng (Ext96)
Localização: entre as cabeças dos metatarsos no lado dorsal do pé; quatro pontos de cada lado (Fig. 87).
Aplicação: agulhar, oblíqua ou superficialmente, 0,5-1 polegada; deixar sangrar.
Indicações: cefaleia; dor de dentes; menstruação irregular; malária; edema no dorso do pé; picadas de cobras.

97. Nui-Shi (Ext97)
Localização: na parte posterior do pé, no meio do calcâneo (Fig. 87).

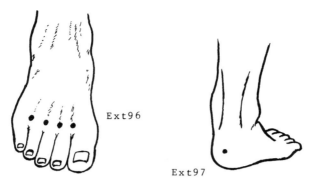

Fig. 87 Fig. 88

Aplicação: agulhar, perpendicularmente, 0,2-0,3 polegada.
Indicações: gengivite; abscesso dentário.

98. Nao-Ching (Ext98)
Localização: dois dedos acima do ponto Jiexi (E41) na borda externa da tíbia (Fig. 89).
Aplicação: agulhar, perpendicularmente, 0,5-0,8 polegada.
Indicações: sonolência; tontura; falta de memória; sequela de paralisia infantil (pé equino).

99. Jiu-Wai-Fan (Ext99)
Localização: 1 polegada medial do ponto Chengshan (B57) (Fig. 89).
Aplicação: agulhar, perpendicularmente, 0,8-1,5 polegada.
Indicação: sequela de paralisia infantil com inversão do pé.

100. Jiu-Nei-Fan (Ext100)
Localização: 1 polegada lateral do ponto Chengshan (B57) (Fig. 89).
Aplicação: agulhar, perpendicularmente, 0,5-1,5 polegada.
Indicação: sequela de poliomielite com inversão do pé.

101. Jing-Xia (Ext101)
Localização: 3 polegadas acima do ponto Jiexi (E41) e 1 polegada lateral da borda externa da tíbia (Fig. 89).
Aplicação: agulhar, perpendicularmente, 0,5-1,5 polegada.
Indicações: sequela de poliomielite com pé equino; paralisia dos membros inferiores.

102. Wan-Li (Ext102)
Localização: 0,5 polegada abaixo do ponto Zusanli (E36) (Fig. 90).

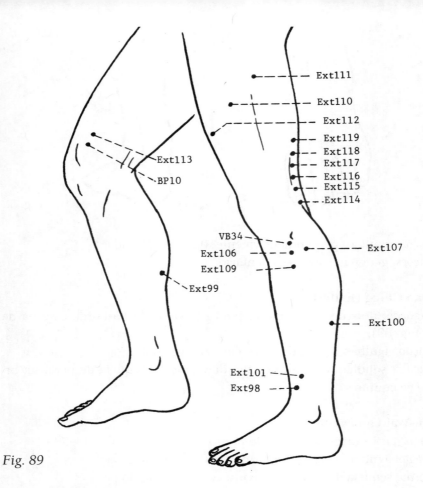

Fig. 89

Aplicação: agulhar 0,2-0,3 polegada.
Indicação: doenças dos olhos.

103. Lau-Wei (Ext103)
Localização: 2 polegadas abaixo do ponto Zusanli (E36) (Fig. 90).
Aplicação: agulhar, perpendicularmente, 0,2-0,3 polegada.
Indicações: apendicite aguda e crônica; falta de força para elevar a perna.

104. Chi-Yen (Ext104)
Localização: nas fossas laterais do tendão da patela, abaixo da borda inferior da patela (Fig. 90).
Aplicação: agulhar, obliquamente, 0,7-1 polegada, ou agulhar até o ponto do lado oposto.
Indicações: tendinite ou artrite no joelho; tendinite da patela (síndrome de *jumper's knee*).

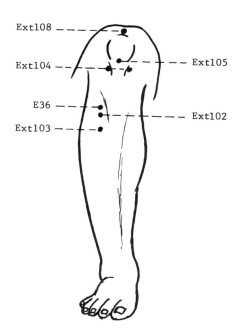

Fig. 90

105. Chi-Xia (Ext105)
Localização: no ponto médio acima do tendão da patela, abaixo da borda inferior da patela (Fig. 90).
Aplicação: moxa, 5 a 10 minutos.
Indicações: dor lombar; dor na tíbia; espasmo do músculo gastrogênico.

106. Dan-Nang-Dien (Ext106)
Localização: 1 dedo abaixo do ponto Yanglingquan (VB34) (Fig. 89).
Aplicação: agulhar, perpendicularmente, 2-3 polegadas.
Indicações: colecistite aguda e crônica; litíase renal; vermes no dueto biliar.

107. Ling-Hou (Ext107)
Localização: na depressão atrás da cabeça da fíbula (Fig. 89).
Aplicação: agulhar, perpendicularmente, 2-3 polegadas.
Indicações: paralisia dos membros inferiores; artrite do joelho.

108. Her-Ting (Ext108)
Localização: com o joelho flexionado, depressão da borda superior da patela (Fig. 90).
Aplicação: agulhar, perpendicular ou obliquamente, 0,5-1 polegada.

Indicações: dor na articulação do joelho; paralisia dos membros inferiores; fraqueza nas pernas.

109. Ling-Xia (Ext109)
Localização: 2 polegadas abaixo do ponto Yanglingquan (VB34) (Fig. 89).
Aplicação: agulhar, perpendicularmente, 1-2 polegadas.
Indicações: surdez; colecistite; vermes nas vias biliares.

110. Chien-Feng-Shi (Ext110)
Localização: 2 polegadas antes do ponto Fengshi (VB31) (Fig. 89).
Aplicação: agulhar, perpendicularmente, 1-3 polegadas.
Indicações: paralisia dos membros inferiores; sem força para elevar a perna.

111. Shang-Feng-Xi (Ext111)
Localização: 2 polegadas acima do ponto Fengshi (VB31) (Fig. 89).
Aplicação: agulhar, perpendicularmente, 1-2 polegadas.
Indicações: ciatalgia; sequela de poliomielite.

112. Shen-Xi (Ext112)
Localização: 1 polegada abaixo do ponto Futu (E32) (Fig. 89).
Aplicação: agulhar, perpendicularmente, 1,5-2 polegadas.
Indicação: diabetes.

113. Bai-Chong-Wo (Ext113)
Localização: 1 polegada acima do ponto Xuehai (BP10) (Fig. 89).
Aplicação: agulhar, perpendicularmente, 2-3 polegadas.
Indicações: alergia; reumatismo.

114. Yin-Wei-1 (Ext114)
Localização: 1 polegada do ponto final; lateral da prega poplítea, no lado do tendão bíceps femural (Fig. 89).
Aplicação: agulhar, perpendicularmente, 3-4 polegadas.
Indicações: distúrbios mentais; histeria.

115. Yin-Wei-2 (Ext115)
Localização: 2 polegadas acima do ponto final; lateral da prega poplítea no lado do músculo bíceps femural (Fig. 89).
Aplicação: igual à do ponto Yin-Wei-1 (Ext114)
Indicações: iguais à do ponto Yin-Wei-1 (Ext114)

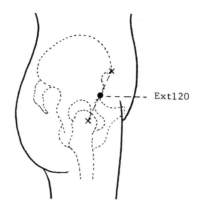

Fig. 91

116. Yin-Wei-3 (Ext116)
Localização: 3 polegadas acima do ponto final; lateral da prega poplítea, no lado do músculo bíceps femural (Fig. 89).
Aplicação: igual à do ponto Yin-Wei-1 (Ext114).
Indicações: iguais à do ponto Yin-Wei-1 (Ext114).

117. Si-Lien (Ext117)
Localização: 4 polegadas acima do ponto final; lateral da prega poplítea, no lado do músculo bíceps femural (Fig. 89).
Aplicação: agulhar, perpendicularmente, 3-4 polegadas.
Indicação: distúrbios mentais.

118. Wu-Ling (Ext118)
Localização: 5 polegadas acima do ponto final; lateral da prega poplítea, no lado do músculo bíceps femural (Fig. 89).
Aplicação: agulhar, perpendicularmente, 3-4 polegadas.
Indicação: distúrbios mentais.

119. Ling-Bao (Ext119)
Localização: 6 polegadas acima do ponto final; lateral da prega poplítea, no lado do músculo bíceps femural (Fig.89).
Aplicação: agulhar, perpendicularmente, 3-4 polegadas.
Indicação: distúrbios mentais.

120. Xin-Jian (Ext120)
Localização: no meio da linha que liga o trocanter maior à espinha ilíaca anterossuperior (Fig. 91).
Aplicação: agulhar 0,5-1 polegada.
Indicações: dor e paralisia das pernas.

CAPÍTULO 7

Pontos Onde não se Devem Aplicar Agulhas ou Moxibustão

Os antigos tratados sobre Acupuntura alertam-nos para a existência de determinados pontos proibidos ao uso de agulhas ou moxa. Os estudos científicos modernos confirmam essas afirmações, mas nem todos os mecanismos funcionais relacionados a esse fato são conhecidos.

De maneira geral, a não utilização de agulha ou moxa em determinados pontos obedece aos seguintes critérios:

1. Quando, na região subjacente ao ponto, há órgãos ou vísceras que podem ser lesados. Exemplos: Shangzhong (RM17); Fengchu (DM16); Yamen (DM15) são pontos proibidos à aplicação profunda de agulhas. Xinhui (DM22) — em crianças pequenas, não se admite o uso de agulhas.
2. Em pontos suscetíveis a inflamação. Exemplo: Shenjue (RM8) no umbigo.
3. Quando existem artérias no local do ponto não é recomendável o uso de agulha, pois podem ocorrer lesões.
4. Não aplicar moxa nos pontos da face, pois pode deixar cicatrizes.
5. Não é recomendável o uso de moxibustão nos pontos localizados nas articulações, pois a cicatriz deixada pela moxa pode interferir nos movimentos articulares. Exemplos: Weishu (B21) no joelho, Chize (P5) no cotovelo.

Na realidade, o uso desses pontos vai depender diretamente da técnica de aplicação e dos instrumentos utilizados. Atualmente, é comum o uso da agulha cilíndrica que, por ser muito fina, pode ser aplicada nos pontos proibidos. Também nos pontos vedados à moxa usam-se técnicas que, não lesando a pele, permitem a aplicação do tratamento.

Os pontos onde não se deve aplicar agulhas ou moxibustão descritos pelos antigos livros chineses são os seguintes:

1. Pontos proibidos para agulhar: Shangzhong (RM17) e Shenjue (RM8).
2. Pontos proibidos para agulhar profundamente: Fengchu (DM16); Yamen (DM15); Tiantu (RM22); Jingming (B1); Jianjing (VB21); Jiuwei (RM15); Rugen (E18); Xinhui (DM22).
3. Pontos proibidos para moxibustão: Fengchu (DM16); Yamen (DM15); Tianzhu (B10); Jingming (B1); Zanzhu (B2); Ermen (TA21); Yingxiang (IG20); Holiao (IG19); Jinjing-Yuye (Ext22); Touwei (E8); Tai-Yang (Ext12); Xiaguan (E7); Jianzhen (ID9); Xinshu (B15); Shaoshang (P11); Zhongchong (PC9); Shaoze (ID1); Lieque (P7); Yuji (P10); Chize (P5); Yinbai (BP1); Yinlingquan (BP9); Weizhong (B54); Chengfu (B36).
4. Evitar excesso de moxibustão: Baihui (DM20) e pontos localizados na face.
5. Evitar agulhar profundamente os pontos localizados na região dorsolombar, na coluna vertebral e na região torácica.

CAPÍTULO 8

Auriculoterapia

Existem relações fisiológicas entre o pavilhão auricular e diversas partes do corpo. Quando um órgão, ou parte do corpo, apresenta algum problema patológico, surgirá uma alteração de sensibilidade ou de eletrocondutibilidade em determinado ponto reflexo do pavilhão auricular.

A Auriculoterapia é uma técnica terapêutica de estimulação no ponto reflexo no pavilhão auricular para curar a doença.

A Auriculoterapia possui as vantagens de apresentar poucos efeitos colaterais, além de ter aplicação ampla e manipulação simples.

Anatomia do pavilhão auricular

O pavilhão auricular é composto principalmente por um tecido de cartilagem elástica, alguns tecidos adiposos e linfáticos e é recoberto, externamente, pela cútis. Na região da hipoderme há uma rede rica em nervos, vasos sanguíneos e linfáticos.

O centro do pavilhão denomina-se Hélice, e a parte da Hélice que entra na depressão do pavilhão chama-se Cruz da Hélice. Na parte superior externa do pavilhão há uma saliência chamada Tuberosidade da Hélice (ou tubérculo de Darwin); a parte que liga com o lóbulo auricular denomina-se Cauda da Hélice.

A Anti-hélice é uma parte proeminente que se situa medial e paralelamente à Hélice, na porção superior. A Anti-hélice bifurca-se, originando dois ramais. O ramo superior da bifurcação chama-se pedículo superior da Anti-hélice, e o ramo inferior da bifurcação chama-se pedículo inferior da Anti-hélice.

A região entre os dois ramais é chamada de Fossa Triangular, e a depressão longitudinal que se situa entre a Hélice e a Anti-hélice denomina-se Escafa.

Na frente do orifício do Conduto Auditivo há uma saliência chamada Trago. A depressão entre a parte superior do Trago e a Cruz da Hélice é denominada Estreito Supratrágico. A porção saliente oposta ao Trago chama-se Antitrago, e a depressão entre o Antitrago e a Hélice chama-se Estreito de Trago Hélice. A depressão entre o Trago e o Antitrago denomina-se Incisura Intertrago; a depressão no lado interno da Anti-hélice chama-se Concha. A Cruz da Hélice divide a Concha em duas partes: a superior e a inferior.

O orifício do conduto auditivo localiza-se na parte inferior.

Distribuição dos pontos na orelha

A distribuição dos pontos na orelha segue uma ordem determinada. Em geral, o lóbulo auricular corresponde à cabeça e à face, a Anti-hélice ao tronco, a Escafa ao membro superior, a periferia da Fossa Triangular ao membro inferior, a parte superior da Concha ao tórax, a parte inferior ao abdômen, a Fossa Triangular à pélvis, o Antitrago e a base da Incisura Intertrago à zona endócrina. Essa divisão facilita a localização dos pontos reflexos.

Os pontos descobertos mais recentemente nem sempre seguem essa ordem de distribuição (Fig. 92).

A. Zona dos membros superiores

Os problemas dos membros superiores se refletem na área Escafa.

Dedos — na parte superior da Escafa.

Pulso — no nível da Tuberosidade da Hélice.

Cotovelo — no nível da borda superior da perna inferior da Anti-hélice.

Ombro — no nível do Estreito Supratrágico.

Articulação do ombro — no nível da borda inferior da Cruz da Hélice.

Clavícula — no nível do conduto auditivo externo.

B. Zona dos membros inferiores

Os problemas dos membros inferiores se refletem no ramo superior e inferior da Anti-hélice.

Dedos — na parte superior da perna superior da Anti-hélice.

Tornozelo — na parte inferior da perna superior da Anti-hélice, perto da Fossa Triangular.

Joelho — na parte inferior da perna superior da Anti-hélice no nível da borda superior da perna inferior da Anti-hélice.

Nádega — no meio da borda superior da perna inferior da Anti-hélice.

Nervo ciático — na parte anterior da perna inferior da Anti-hélice.

Distribuição dos Pontos Auriculares

1) Plato inferior
2) Plato superior
3) Língua
4) Maxilar
5) Mandibular
6) Olho
7) Ouvido interno
8) Amídala
9) Face e molar
10) Anestesia dentária
11) Parótida
12) Asma
13) Testículos
14) Cérebro
15) Occipital
16) Testa
17) TAI-YANG
18) Parietal
19) Dermo inferior
20) Ponto da excitação
21) Clavícula
22) Dedos da mão
23) Articulação da mão
24) Ombro
25) Cotovelo
26) Pulso
27) Ponto de nefrite
28) Ponto de apêndice
29) Ponto de urticária
30) Vértebra cervical
31) Vértebra sacral
32) Vértebra torácica
33) Vértebra lombar
34) Nuca
35) Torácico
36) Abdômen
37) Abdômen externo
38) Ponto de calor
39) Tireoide
40) Glândula mamária
41) Apêndice
42) Ponto lombar
43) Dedos do pé
44) Calcanhar

45) Tornozelo
46) Joelho
47) Quadril
48) Joelho
49) Nádega
50) Nervo vegetativo
51) Nervo ciático
52) Útero
53) SHEN-MEN
54) Pelve
55) Hipotensor
56) Ponto de asma
57) Coxa
58) Constipação
59) Hepatite
60) Boca
61) Estômago
62) Esôfago
63) Cárdia
64) Duodeno
65) Intestino delgado
66) Intestino grosso
67) Apêndice
68) Diafragma
69) Ouvido interno
70) Bexiga
71) Rins
72) Ureter
73) Próstata
74) Fígado
15) Pâncreas e vesícula
76) Pancreatite
77) Ascite
78) Dipsomania
79) Coração
80) Baço
81) Pulmão
82) Brônquios
83) Tubérculos
84) Bronquiectasia
85) Traqueia
86) Cirrose
87) Hepatomegalia
88) Triplo-aquecedor

89) Área de hepatite
90) Ponto Novo para o Olho
91) Nariz interno
92) Garganta
93) Adrenal
94) Trago
95) Nariz externo
96) Ponto da sede
97) Ponto da fome
98) Hipertensão
99) Purificação
100) Endócrino
101) Ovário
102) Olho 1
103) Olho 2
104) Hipotensão
105) Ouvido externo
106) Ponto cardíaco
107) Tronco cerebral
108) Palato mole
109) Ponto de dor de dentes
110) Genitália externa
111) Uretra
112) Reto inferior
113) Ânus
114) Ápice da Orelha
115) Hemorroidas
116) Amídala 1
117) Amídala 2
118) Amídala 3
119) YANG do Fígado(l)
120) YANG do Fígado(2)
121) Hélice 1
122) Hélice 2
123) Hélice 3
124) Hélice 4
125) Hélice 5
126) Hélice 6
127) Tireoide
128) Costa superior
129) Costa média
130) Costa inferior

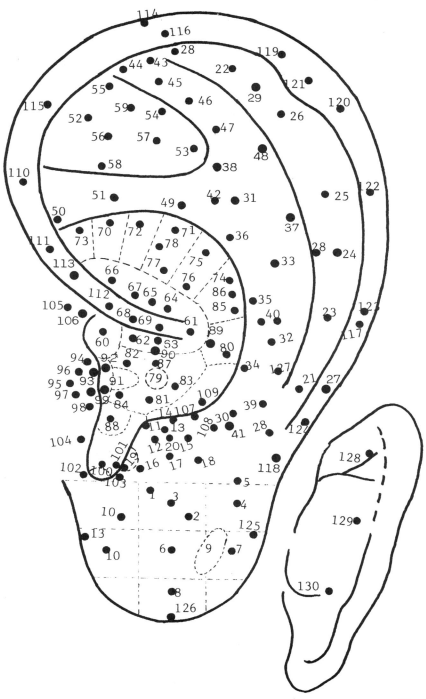

Fig. 92

203

C. Zona do tronco

Os problemas da coluna vertebral, do tórax e do abdômen se refletem na borda da Anti-hélice.

Coluna lombossacral — no nível da borda inferior da perna inferior da Anti-hélice.

Coluna torácica — no nível da linha perpendicular da Anti-hélice.

Coluna cervical — na borda inferior da Anti-hélice.

Abdômen — na Anti-hélice, mais ou menos no nível inferior da perna inferior da Anti-hélice.

Tórax — na Anti-hélice, no nível do Estreito Supratrágico.

Pescoço — na região de transição entre a Anti-hélice e a depressão do Antitrago.

D. Zona da cabeça e da face

Os problemas da face e dos órgãos dos sentidos se refletem no Lóbulo Auricular e no Trago.

Na região Lóbulo Auricular

Olho — no meio do Lóbulo Auricular.

Maxilar, mandíbula, bochecha e testa — na parte externa do Lóbulo Auricular.

Anestesia para extração dentária — parte anterossuperior do Lóbulo Auricular.

Olho 1 — anteroinferior da Incisura Intertrago.

Olho 2 — posteroinferior da Incisura Intertrago.

Na borda do Antitrago

Tronco cerebral — na transição entre Antitrago e Anti-hélice, o ponto também é chamado ponto de vertigem.

Ponto cerebral — no meio da parte externa da borda superior do Antitrago.

Ponto de asma — no meio da borda superior do Antitrago.

Frontal — na borda lateral, posterossuperior do Antitrago.

Tai-Yang — entre os pontos frontal e occipital, no lado externo do Trago.

Córtex — no lado interno do Antitrago.

No Trago

Aurícula externa — na depressão próxima à frente do Estreito Supratrágico.
Nariz — no meio da parte externa do Trago.
Faringe — parede interna do Trago em frente ao orifício do conduto auditivo externo.
Nariz interno — parede interna do Trago abaixo do ponto da faringe.

E. Zona da cavidade torácica e abdominal

As doenças cardíacas e pulmonares se refletem, na maioria das vezes, na Cavidade Conchada, e as do aparelho digestivo na Cruz da Hélice.

A seguir, os pontos dessa zona:
Coração — no fundo da depressão da parte superior da Concha.
Pulmão — parede anterior, superior e inferior da parte superior da Concha.
Boca — parede posterior do orifício do conduto auditivo externo.
Esôfago — no lado interno da porção inferior da Cruz da Hélice.
Estômago — região em torno da porção terminal da Cruz da Hélice que possui forma de ferradura.
Intestino delgado — no lado externo da porção superior da Cruz da Hélice.
Intestino grosso — no lado interno da porção superior da Cruz da Hélice.
Intestino reto e ânus — fica na Hélice no mesmo nível do ponto do intestino grosso.
Fígado — situa-se na parte posterior da zona do estômago; é uma área estreita e comprida.
Baço — um meio inferior da região do fígado da orelha esquerda (só na esquerda).
Pâncreas e vesícula biliar — na parte inferior lateral da parte inferior da Concha, sendo que na orelha esquerda reflete o pâncreas e na direita a vesícula biliar.
Rins — na parte média superior da parte inferior da Concha.
Bexiga — na parte superior interna da parte inferior da Concha.
Uretra — na Hélice, no mesmo nível da Bexiga.

F. Zona da cavidade pélvica

Os órgãos reprodutores situados na cavidade pélvica correspondem à Fossa Triangular. Os pontos são:
Pélvis — no ponto da bifurcação dos ramos da Anti-hélice.
Útero — na Fossa Triangular, no meio do lado da Hélice.

Simpático — na região de transição entre a borda superior da perna inferior da Anti-hélice e a borda interna da Hélice.

Genitália externa — na Hélice, no nível da perna inferior da Anti-hélice.

G. Zona do sistema endocrinológico

As doenças do sistema endocrinológico têm pontos reflexos na base da Incisura Intertragos.

Hipófise — parede interna do Antitrago, face interna da zona do subcórtex.

Tireoide ou Paratireoide — face interna da hipófise.

Ovários e Testículos — parede interna do Antitrago, perto da Incisura Intertrago.

Adrenal — uma saliência abaixo do Trago.

Pin-Tien — uma saliência no Trago.

Funções dos pontos auriculares

O conhecimento no campo da Auriculoterapia está-se expandindo e enriquecendo por meio da observação e experiência clínicas. Sabemos que os pontos da orelha são semelhantes aos do corpo e, como estes, têm suas próprias funções.

A seguir, os pontos e suas funções:

Coração — Função tranquilizante, é também usado nas afecções cardiovasculares. "O coração governa a mente", portanto esse ponto é usado em casos de neurastenia; doenças mentais; disfunção cardiovascular; elevação e diminuição da pressão; estados de choque; glossite; faringite. Utiliza-se também em algumas doenças hematológicas.

Fígado — Melhora a função do fígado, vesícula biliar, estômago e visão. Esse ponto trata principalmente da hepatite, aguda e crônica; colestite; inflamação dos olhos; anemia ferropriva; doenças dos sistemas digestivo e ginecológico.

Baço — Fortalece a energia do baço-pâncreas e trata especialmente das doenças do sistema digestivo. "O baço governa o sangue", portanto, este ponto é utilizado no caso de hemorragia; anemia; doenças hematológicas. "O pâncreas governa os músculos", por isso este ponto também é indicado para equilibrar a função muscular; prolapso retal; ptose dos órgãos; diarreias crônicas.

Pulmão — Trata, principalmente, das doenças respiratórias. "O pulmão governa a superfície do corpo." Ponto indicado para o tratamento de resfriado; sudorese; doenças dermatológicas. Usa-se também para anestesiar em incisão de pele.

Rins — Tonifica a energia geral do corpo. Fortalece a coluna lombar e tonifica a medula óssea. Melhora a visão e a audição. Trata, principalmente, de doenças do sistema urinário e de reprodução. "Os rins governam os cabelos", portanto é um ponto indicado para casos de calvície ou de alopecia.

Subcórtex — Controla a função do córtex cerebral, tendo um desempenho analgésico, anti-inflamatório e tranquilizante. Trata de doenças causadas pelos distúrbios das funções do córtex cerebral. É também usado nas vasculites, ptose gástrica e ptose uterina.

Occipital — Frequentemente utilizado nas doenças do sistema nervoso e nas irritações da meninge; estados de choque; alergia; analgesia e hemostasia.

Cérebro e hipófise — Nanismo; acromegalia; incontinência urinária; hemorragia uterina disfuncional.

Endócrino — Doenças do sistema endócrino: alergias; reumatismo; disfunções ginecológicas e obstétricas; casos de diabetes e determinadas doenças dermatológicas.

Adrenal — Controla os vasos sanguíneos; estado de choque; infecção; reumatismo; alergia; hipotensão arterial; vasculite; hemorragia; tosse e asma; febre.

Simpático — Doenças provocadas por distúrbios do sistema nervoso autônomo; analgesia dos órgãos e vísceras internas; dilatação vascular; *angina pectoris*; arritmia cardíaca; extrassístole; sudorese. Ponto importante na anestesia para cirurgias torácica e abdominal.

Shenmen — Tranquilizante; analgésico; anti-inflamatório; indicado para doenças neurológicas e mentais. E ponto para anestesia e analgesias.

Útero — Pelviperitonite; hemorragia disfuncional; distúrbio menstrual; leucorreia; impotência sexual; orquite para acelerar o trabalho de parto. *Sanjiao* — Moderador das dores provocadas pela mucosa intestinal; peritônio e pericárdio; tem também função diurética e anti-inflamatória.

Pâncreas — Pancreatite; indigestão; diabetes e enxaqueca.

Asma — Regula o centro respiratório; antialérgico; asma; opressão no peito; coceira alérgica.

Novo olho — Problemas nos olhos e de visão.

Medula 1 e 2 — Atrofia muscular; paralisia infantil e polineurite.

Nervo occipital menor — Ação tranquilizante e analgésica; espasmo dos vasos cerebrais; sequela de trauma craniano; enxaqueca; tontura.

Ponto de tonificação — Muito sono; nicturia.

Ponto de orelha — Febre em caso de inflamação; analgésico; abaixa a pressão arterial; hipertensivo; coma hepático.

Ponto de Trago — Agulhar ou sangrar o ponto; abaixa a febre; ação analgésica e anti-inflamatória.

Fígado Yang 1 e 2 — Hipertensão arterial; cefaleia; hepatite crônica.

Hélice 1 a 6 — Anti-inflamatório; febre; antiedema; abaixa a hipertensão arterial; no tratamento da amigdalite e da hipertensão arterial; sangrar o ponto.

Póstero-auricular superior e inferior — Analgesia; lombalgia; doenças dermatológicas; reumatismo; ponto de anestesia na cirurgia torácica.

Ponto de labirinto — Tranquilizante; analgesia; sudorese; taquicardia.

Raiz auricular superior e inferior — Analgesia; nicturia; diminuição de audição; miopia.

Métodos de localização dos pontos na orelha

Para localizar o ponto reflexo na orelha, é preciso procurar com minúcia. Cada pessoa tem um formato de orelha diferente. Assim, o ponto reflexo varia de indivíduo para indivíduo de acordo com o tipo de doença apresentado. Na área clínica, não é possível localizar os pontos com base somente na consulta ao mapa de Auriculoterapia; deve-se aliar a estes outros procedimentos, como o exame dos pontos dolorosos à pressão digital ou o uso de aparelhos eletrônicos. Os pontos dolorosos apresentam, geralmente, menor resistência e, quando agulhados, dão bons resultados terapêuticos.

1. Método de compressão

É o mais utilizado atualmente. Depois da anamnese, faz-se um exame em que se usa este método. Consiste em se pressionar, com a ajuda de um bastão ou palito de fósforo, regiões correspondentes. Ao se achar o ponto reflexo, o paciente sentirá dor.

Durante a manipulação, a força a ser aplicada deve ser leve, lenta e da mesma intensidade. Às vezes pode ocorrer formação de bolhas ou haver alteração da cor da pigmentação no local do ponto reflexo. Em alguns pacientes não é possível localizar o ponto reflexo. Nesse caso, pode-se massagear a orelha, recomeçando novamente o exame.

Se mesmo assim o ponto reflexo não for encontrado, deve-se aguardar um pouco e recomeçar o exame. Se ainda assim não se achar o ponto reflexo, então, o melhor será escolher os pontos na região correspondente à doença.

2. Método de condutibilidade elétrica

Sabe-se que os pontos reflexos apresentam características de resistência elétrica baixa ou de boa condutibilidade. Há um aparelho eletrônico, o *tester*, construído especialmente para localizar os pontos reflexos. Sua utilização é vantajosa, pois é preciso e de fácil manipulação. Durante o exame, o paciente deve segurar um dos polos, enquanto o outro, em forma de bastão, é utilizado para a localização dos pontos reflexos.

3. Método de inspeção

Em muitos pacientes foram observadas alterações nos pontos reflexos da orelha, tais como: mudança de coloração da pele; descamação; bolhas; ponto hipercrônico; hiperemia etc. Essas mudanças observadas muitas vezes auxiliam no diagnóstico da doença e na localização dos pontos reflexos.

Comentaremos, a seguir, os fenômenos observados mais comumente:

A. Coloração esbranquiçada em forma de ponto ou placa, uma depressão ou saliência, formação de vesícula esbranquiçada com brilho, são frequentemente observadas nos pacientes com inflamação crônica.
B. Coloração esbranquiçada, depressão, saliência ou vesícula esbranquiçada e sem brilho, geralmente indicam distúrbio orgânico crônico.
C. Congestão ou eritema em ponto ou placa, vesícula avermelhada ou com halos avermelhados e brilho, são observadas em pacientes com inflamações agudas.
D. Presença de nódulos ou coloração escura redondinha ou em placa é observada em pacientes com tumor.
E. Descamações são observadas nas doenças dermatológicas e nos distúrbios digestivos e metabólicos.

Às vezes, em indivíduos normais, observam-se esses fenômenos no pavilhão auricular. No entanto, se pressionarmos esses pontos com o bastão e não houver reação dolorosa ou hipersensibilidade, pode-se concluir que não se trata de pontos reflexos.

Técnica da aplicação

Depois de um diagnóstico minucioso, e escolhida a zona reflexa onde deverá ser feita a aplicação, procede-se à assepsia com álcool. Usa-se, então, uma agulha esterilizada de número 30-34. Agulhar, perpendicularmente ou obliquamente, evitando-se transfixar a cartilagem auricular, o que pode causar traumas e infecções desnecessárias. Depois de agulhar, o paciente pode ter a sensação de dor, calor, compressão e formigamento.

A sensação comum é de dor, porém não muito forte. As agulhas permanecem na orelha por 10 a 30 minutos. Nesse período de tempo, pode-se estimular os pontos girando as agulhas, ou então utilizando um aparelho eletrônico especialmente projetado para essa finalidade. Ao mesmo tempo, o paciente pode movimentar o local afetado; isso tende a proporcionar melhores resultados.

Em geral, quanto maior o tempo de permanência das agulhas, mais duradouro será o efeito da aplicação; tudo isso depende da indicação patológica do paciente. Nas doenças crônicas, o tempo de permanência das agulhas pode variar de uma a duas horas; existe a possibilidade de se deixar uma agulha intradérmica no ponto.

Na Auriculoterapia é importante introduzir a agulha com certa rapidez, pois a distribuição nervosa é abundante e nos pontos reflexos apresenta-se mais sensível. Além disso, introduzindo a agulha rapidamente, evita-se ou diminui-se a dor e o medo do paciente.

O intervalo entre duas aplicações depende do tipo de doença; nas doenças agudas, ou de excesso energético, pode-se fazer de uma a duas aplicações por dia; nas crônicas ou de deficiência, é recomendável uma aplicação diária ou a cada dois dias.

O tratamento é feito em séries de aplicações, sendo que cada série corresponde de cinco a dez aplicações. Após o término de uma série, recomenda-se um intervalo de uma semana para observação, dependendo do resultado obtido.

Observações e cuidados

1. Tomar o máximo cuidado com a assepsia para se evitar uma possível infecção. No caso de haver alguma ferida no local, recomenda-se evitar a aplicação.
2. Evitar toda e qualquer aplicação no período compreendido entre o segundo e o sétimo mês de gestação, em gestantes com um histórico de abortos frequentes; evitar, especialmente, os pontos correspondentes ao útero, ovário, sistema endócrino, subcórtex, para não correr riscos de aborto ou parto prematuro.
3. Durante a aplicação, se o paciente apresentar tontura, mal-estar, sudorese, frio nos membros, deve-se interromper o tratamento.
4. Se o paciente for nervoso e apresentar cansaço ou fraqueza, é conveniente fazer as aplicações na posição deitada.
5. A Auriculoterapia também tem seus limites. Assim, às vezes, para se obter os resultados desejados é necessário que o tratamento seja associado a outros métodos.

CAPÍTULO 9

Aplicações Através da Acupuntura

Aplicação de agulhas

Este método consiste, basicamente, na utilização e aplicação de agulhas especiais (geralmente fabricadas com diferentes tipos de metais) em pontos específicos do corpo, com o objetivo de, por meio de determinadas técnicas, estimulá-los e, assim, sensibilizar o plexo nervoso, provocando várias respostas terapêuticas.

A. Tipos de agulhas

Na história antiga da Acupuntura chinesa já se conheciam e utilizavam cerca de nove tipos diferentes de agulhas. Atualmente julgamos serem três os tipos mais importantes e úteis para a prática médica.

1. Agulhas cilíndricas

Estas agulhas são bastante delgadas e apresentam a ponta arredondada. São fabricadas em diversos tipos de metal: liga de aço e ouro (geralmente em torno de 14 ql), aço e prata ou aço inoxidável. Seu diâmetro vem numerado, geralmente de 26 a 32, sendo que quanto maior o número, maior o diâmetro e vice-versa. Seus comprimentos são variados (Fig. 93a).

2. Agulhas cortantes

Estas agulhas apresentam a ponta lanceolada semelhante à figura geométrica de um losango. Via de regra, elas têm um diâmetro maior que os das agulhas cilíndricas mas, como estas, apresentam comprimentos variáveis (Fig. 93b).

3. Agulhas epidérmicas

São subdivididas em:

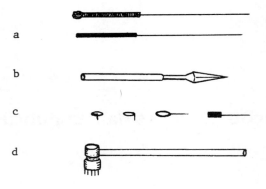

Fig. 93

— Agulhas em forma de flor de ameixa; com cinco pontas (Fig. 93d).
— Agulhas de sete estrelas; com sete pontas (Fig. 93d).
— Agulhas intradérmicas (Fig. 93c).

B. Posição do paciente

O paciente deve estar numa posição adequada, que lhe permita um bom e prolongado relaxamento, para se evitar um possível lipotímio ou hipotensão, facilitando-se, assim, a atuação do acupunturista, que poderá realizar com maior precisão suas técnicas de aplicação; além do mais, é fator importante para se obter resultados satisfatórios.

Normalmente, utilizamos seis tipos de posições para o paciente:
1. decúbito dorsal;
2. decúbito lateral;
3. decúbito ventral;
4. posição sentada, com o tronco em semiflexão anterior e a fronte sobre um apoio;
5. posição sentada, com o tronco ereto e o dorso apoiado sobre o encosto da cadeira;
6. posição sentada, com o tronco ligeiramente inclinado para trás sobre um apoio e a nuca apoiada sobre um encosto.

C. Direção da agulha

A direção e o posicionamento da agulha dependerão da localização do ponto das diferentes patologias, como também do objetivo que se deseja atingir para se obter o êxito terapêutico (Fig. 94).

As mais utilizadas são:

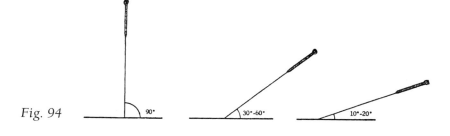

Fig. 94

1. Perpendicularmente: fazendo ângulo de 90° com a superfície cutânea.
2. Obliquamente: fazendo ângulo de 30 a 60° com a superfície cutânea.
3. Horizontalmente: fazendo ângulo de 10 a 20° com a superfície cutânea.

D. Profundidade da aplicação

A profundidade da aplicação está na dependência de diversos fatores:
1. O nível de profundidade dos pontos varia em função da localização dos diversos pontos.
2. Intensidade da sensibilização necessária.
3. Constituição física; ou seja, em pacientes obesos deve-se aprofundar mais do que em pacientes magros e vice-versa.
4. Fator idade; ou seja, em idosos e crianças a profundidade da aplicação deverá ser mais superficial.
5. Fator sexo: no sexo masculino, em relação ao sexo feminino, o nível da profundidade deverá ser maior.
6. Estado geral do paciente: quanto melhor o estado geral do paciente, mais profunda deverá ser a aplicação e vice-versa.
7. Tipo de síndrome: de acordo com a teoria da medicina chinesa, são divididas em quatro critérios que são: Yin-Yang; Calor-Frio; Superficial-Profunda; Excesso-Deficiência (de energia).

As doenças por depleção energética e a Síndrome do Calor necessitam de menor intensidade de estímulo, ao contrário das doenças por excesso energético ou Síndrome do Frio, que necessitam de maior intensidade.

E. Técnicas de aplicação

Tradicionalmente, as técnicas de aplicação são divididas em vários tipos. Cada um deles recebe nomes diferentes. Contudo, recentemente, com base nos resultados de vários estudos e estatísticas científicas, foram simplificados em apenas cinco tipos de técnicas:

1. Depois de determinar a direção da agulha, realiza-se a aplicação introduzindo-a na epiderme rapidamente num único movimento; ela deve ser aprofundada lentamente até atingir o nível da profundidade adequada para se obter a estimulação necessária. A seguir, realizam-se movimentos repetidos de vaivém, aprofundando e aliviando a profundidade da agulha, mas sem retirá-la.
2. A segunda técnica consiste em realizar movimentos de rotação da agulha, depois de se ter atingido o ponto.
3. A terceira consiste em realizar as duas técnicas anteriores concomitantemente; assim, haverá movimentos de aprofundamento de diminuição da pressão da agulha, associados a movimentos de rotação da mesma.
4. Depois de a agulha ter atingido o ponto, deve-se fixá-la com os dedos da mão esquerda; com a outra mão, apoia-se o polegar sobre o terminal da agulha e faz-se movimentos repetidos de raspagem com o indicador sobre sua haste.
5. Eletroestimulação: essa técnica requer a utilização de vários tipos de correntes elétricas; usa-se uma pinça especial conectada numa das extremidades do fio, pinçando-o à haste da agulha. Essa técnica recebe o nome de eletroacupuntura.

F. *Técnicas para tonificação e dispersão energética*

De acordo com a teoria da medicina chinesa, as doenças foram divididas em diferentes síndromes e estas subdivididas em dois grupos:
a) por depleção energética.
b) por excesso energético.

De acordo com essa teoria, com base em estudos científicos, o princípio do tratamento baseia-se na necessidade de dispersar ou tonificar determinado meridiano, dependendo de ele estar apresentando excesso ou deficiência energética; com isso, consegue-se manter o equilíbrio entre dois meridianos e, consequentemente, a cura da doença. A doença é o resultado de um desequilíbrio energético entre os meridianos em questão.

As técnicas para a realização do tratamento dividem-se em vários tipos; porém, com base em pesquisas recentes, estabeleceram-se quatro tipos de técnicas consideradas úteis e importantes na prática médica:

1. Velocidade da aplicação
a) Aplicar e aprofundar a agulha rapidamente, num único movimento, com posterior retirada lenta e suave. Essa técnica é usada para tonificação do meridiano.

b) Aplicar e aprofundar a agulha lentamente, com posterior retirada rápida. Essa técnica é usada para se conseguir a dispersão energética.

2. Intensidade da aplicação
a) Leve: utilizada para tonificar.
b) Moderada: quando se quer dispersar e tonificar levemente determinado meridiano.
c) Forte: utilizada para dispersar.

3. Direção da agulha
De acordo com as teorias dos meridianos, todo meridiano possui o sentido do seu fluxo energético. Assim sendo, se aplicarmos, tonificando, a energia deste meridiano, e se aplicarmos a agulha em sentido contrário a seu fluxo, estaremos provocando a dispersão energética do meridiano.

4. Duração da permanência da agulha
Para tonificar o meridiano, a agulha deverá ser retirada logo após a estimulação do ponto.

Para a dispersão energética do meridiano, a agulha deverá permanecer por um período variável de tempo, sendo que, durante esse período, devem-se realizar estimulações periódicas.

G. Aplicação de agulhas cortantes

Estas agulhas têm a ponta em forma triangular ou losangular, com as bordas cortantes, sendo que as mais usadas são as de nº 26-28.

Elas têm duas aplicações:
1. *Perfuração única*: consiste em provocar, com o uso da agulha, um ponto sangrante superficial e deixar sair uma ou duas gotas de sangue. Essa aplicação deverá ser feita em pontos específicos do meridiano localizado nas partes distais dos dedos. Esses pontos são denominados pontos-poço do meridiano. São usados para o tratamento de amigdalite; furunculose; coma; insolação; A.V.C. etc.
2. *Perfuração múltipla*: nesse caso, a agulha deverá atingir o local patológico, provocando vários pontos sangrantes ou orifícios para drenagem de secreções. Geralmente usados para tratamento de erisipela etc.

H. Aplicação de agulhas aquecidas

Apresentam duas modalidades:
1. Depois de flambar o corpo e a cabeça da agulha numa chama de fogo, fazer aplicação sobre o ponto do meridiano próximo do local da sintomatologia. Geralmente essas agulhas são usadas para tratamento de dores crônicas profundas (tendinite ou periartrite).
2. Depois da aplicação da agulha sobre o ponto determinado, aquecê-la com moxa acesa, colocando-a sobre o terminal da agulha e deixando-a até que o paciente acuse calor local.

Esse método é indicado para doenças crônicas, rebeldes aos tratamentos usuais, como nos casos de paralisia; fraqueza e dor crônica.

São contraindicadas em todos os casos em que a aplicação deve ser retirada rapidamente após a estimulação do ponto, ou seja, em que ela não deva permanecer no local do ponto de aplicação, como nos casos de espasticidade; tremores e febres etc.

I. Aplicação de agulhas epidérmicas

Essas agulhas recebem também o nome de agulhas pediátricas e são comumente usadas em crianças.

São apresentadas em vários modelos diferentes, porém os dois modelos mais usados são aqueles denominados agulhas em flor de ameixa, apresentando forma semelhante a um pequeno martelo e recebendo este nome por apresentar em sua cabeça cinco pontas de agulhas.

O outro modelo apresenta em sua cabeça sete filetes, recebendo assim o nome de agulha de sete estrelas (Fig. 95).

1. *Técnicas e locais de aplicação*
    a) Estimulação local: realiza estimulações sucessivas sobre a pele no local da patologia até que sua superfície se apresente avermelhada.

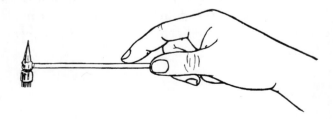

Fig. 95

b) Estimulações sucessivas do ponto próximo aos processos espinhosos das vértebras (lateralmente ou entre eles), seguindo a teoria dos meridianos ou dos dermátomos.
c) Estimulação dos pontos reflexos (os pontos "Trigger").
d) Estimulação dos pontos distais dos membros, ou seja, os pontos dos cinco elementos.

2. *Cuidados a serem tomados quanto à aplicação de agulhas epidérmicas*
   a) A agulha deverá estar rigorosamente esterilizada para evitar o perigo de contaminação.
   b) No ato da aplicação, a agulha deverá estar perpendicular em relação à superfície da pele, realizando estimulações repetidas, evitando arranhar ou ferir a pele.
   c) Evitar aplicações em locais infectados, apresentando úlceras ou queimaduras.

J. Aplicação de agulha intradérmica

1. Diagnosticar primeiramente o desequilíbrio entre os meridianos, por meio de testes de condutibilidade do meridiano ou teste de sensibilidade do ponto em relação ao calor.
2. De acordo com o resultado acima, selecionar pontos para aplicação depois de realizar testes com o auxílio de um *tester*, para localizar o ponto mais sensível da pele.
3. Fazer aplicação com agulha intradérmica, fixá-la com um esparadrapo por um período variável de alguns dias a uma semana.

K. Auriculoterapia

Esse assunto já foi comentado em outros capítulos.

Aplicação da moxa

A. Definição

É denominado moxa um material com folha de artemísia moída e preparado sob a forma de bola de algodão; ela é utilizada para queimar sobre o ponto de aplicação. Visa-se com isso provocar, mediante o calor, a estimulação do local. Esse método é denominado moxibustão.

Além desse método de estimulação, há outros que atualmente também recebem o nome de moxibustão. São processos que utilizam outras energias físicas tais como: raios infravermelhos, energia elétrica, raio *laser* etc. que, mediante o calor, provocam o mesmo efeito da moxa.

B. Preparação de folhas de artemísia (moxa)

A natureza das folhas de artemísia, de acordo com a descrição dos arquivos da literatura chinesa, apresenta um sabor amargo e origina calor natural de Yang que, ao desobstruir o fluxo energético dos meridianos, trata a Síndrome do Frio e Umidade, aquece o útero, regula a menstruação e diminui o risco de abortos.

Antigamente, as folhas de artemísia eram colhidas no fim da primavera e colocadas ao sol para secar. Posteriormente, eram moídas em minúsculos fragmentos semelhantes a fios de algodão. Esse material deve ser conservado numa caixa em local seco, pois sua qualidade aumenta à medida que o tempo passa.

C. Tipos de moxibustão

Desde a antiguidade, a moxa tem sido aplicada em muitas experiências clínicas.

Intensidade do grau da queimadura:

1º grau: realizar queimaduras até que a pele do local se apresente com eritema. E a moxibustão sem cicatriz.

2º grau: queimadura com formação de bolha, com posterior cicatrização e permanência da mesma.

D. Cone de moxa

É preparado numa superfície plana usando-se os dedos indicador, polegar e médio para comprimir a moxa entre os dedos, fazendo-a tomar a forma de um cone.

Pode ser feito com base em três tamanhos diferentes: 2cm (grande), 1cm (médio) e 0,5cm (pequeno) sendo que os mais usados são o médio e o pequeno.

E. Material de contato com a pele

1. Cone de moxa: pode ser subdividido em moxibustão direta ou moxibustão indireta.

Moxibustão direta: colocação do cone de moxa diretamente sobre a pele para queimar (Fig. 96a).

Moxibustão indireta: usa-se uma fatia de gengibre, de alho, de cenoura, ou mesmo uma pequena camada de sal entre a pele e o cone de moxa aceso. Esse é um dos métodos mais usados (Fig. 96b).

2. Bastão de moxa: o bastão aceso é colocado diretamente sobre o ponto, mas sem manter contato com a pele (Fig. 96c).

3. Preparação do bastão de moxa: é usado em pedaços de papel com mais ou menos 6 polegadas de largura, distribuindo certa quantidade de moxa ao longo de uma das extremidades; em seguida, dobram-se as duas extremidades do papel e enrola-se o mesmo até tomar a forma de bastão, com mais ou menos 1,5cm de comprimento.

4. Moxa acesa: é colocada dentro de um tubo com fundo em forma de peneira e deve-se aplicá-la levemente sobre o ponto, com o cuidado de não deixar que toque na pele, como na figura abaixo (Fig. 97).

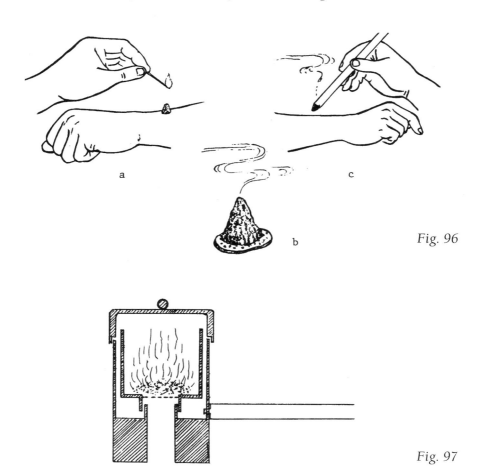

Fig. 96

Fig. 97

F. As síndromes de depleção energética e do frio requerem permanência da moxa por um período mais longo, ao contrário da síndrome de excesso energético e da síndrome do calor, que requerem um período mais curto

Inverno — requer duração maior.

Verão — duração reduzida.

Clima frio — período de duração mais longo.

Clima quente — período de duração mais curto.

Geralmente usamos uma quantidade que varia de três a sete cones de moxas, podendo atingir até dez.

Se utilizarmos o bastão de moxa, a distância entre este e a pele deverá ser mantida de modo que o ponto sinta calor local suportável; pode-se manter essa situação por um período de um a cinco, chegando mesmo a vinte minutos ou mais, dependendo de cada caso.

A duração da permanência da moxa vai depender da indicação das diferentes patologias e de alguns fatores abaixo citados:

1. No dorso e no abdômen, o período de duração deverá ser maior.
2. Nos membros e no peito, o período deverá ser menor.
3. Na cabeça e no pescoço, o período deverá ser menor ainda.
4. Em adultos e jovens, o período deverá ser mais longo.
5. Em velhos e crianças, período de tempo menor.

Aplicação da ventosa

A. Definição

A ventosa é o método que utiliza a pressão negativa dentro de um recipiente que suga a pele e provoca o fenômeno de hiperemia e hemorragia subcutânea; isso estimula o tecido local ou as terminações nervosas para a cura da doença.

Há dois tipos de ventosa; ventosa de fogo e ventosa de água. A ventosa de fogo é o método que, com o auxílio do fogo, queima o interior do recipiente e provoca a pressão negativa para sugar.

Há duas técnicas: por fogo e por passagem de fogo.

A ventosa de água atualmente é substituída pelo Si-Kuan (ventosa que suga com aparelho de sucção).

B. Material

O instrumento mais usado na ventosa é o recipiente. Atualmente há três tipos de recipientes mais usados:

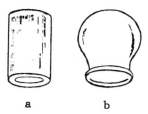

Fig. 98 a b

1. Tsu-Tun-Huo-Kuan: feito de bambu (Fig. 98a).
2. Tau-Tsu-Huo-Kuan: feito de porcelana, com boca pequena e corpo largo.
3. Bo-Li-Huo-Kuan: feito de vidro. Atualmente é o mais usado (Fig. 98b).

Além do recipiente, os outros materiais utilizados na ventosa são: fósforo, algodão, álcool etc. Na ventosa de água são também usados remédios ou aparelhos para fritar ou cozinhar.

C. *Técnicas de ventosa*

1. Ventosa de fogo — To-Huo-Fa: colocar algodão embebido em álcool dentro do recipiente e aplicar na região (Fig. 99a).
   San-Huo-Fa: passar fogo dentro do recipiente e aplicar imediatamente no local desejado (Fig. 99b).
2. Ventosa de sucção — Utiliza-se um aparelho de sucção produzindo pressão negativa no recipiente.

Fig. 99 a b

D. *Tipo de ventosa*

1. San-Kuan: fazer aplicação na pele e retirar imediatamente o recipiente, repetindo o processo até a pele ficar avermelhada.

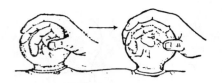

Fig. 100

2. Tsuo-Kuan: fazer a aplicação na pele mexendo o recipiente vagarosamente (Fig. 100).
3. Chun-Hshei-Shin-Kuan: fazer a aplicação até a pele ficar com uma tonalidade vermelha-congestionada.
4. Ui-Hshei-Shin-Kuan: fazer aplicação até formar equimose.

E. Duração da aplicação

Geralmente a duração da aplicação é de cinco a dez minutos; mas pode variar dependendo de outros fatores: sensibilidade local, intensidade da força de sucção, espessura do músculo local e gravidade da doença.

Como regra geral, em caso de dor, a aplicação deve ter duração maior; em caso de paralisia, a duração será menor. Para doenças de maior gravidade, a duração é maior e em doenças de menor gravidade a duração também será menor.

F. Observação

Em determinadas condições, certos cuidados se fazem necessários:
1. Paciente com febre alta, convulsão, alergia, gestante, ou tendência a sangramento.
2. Na ventosa, o fogo deve ser forte e de ação rápida.
3. É aconselhável usar recipiente de vidro para se observar a cor da pele.

G. A ventosa é mais usada em certas doenças como:

— Torção ou contusão aguda de tecido mole
— Inflamação crônica de tecido mole
— Atrofia muscular
— Paralisia de nervos
— Distúrbios de peristaltismo gastrointestinais
— Bronquite aguda e crônica
— Asma

H. Indicações e fórmulas mais usadas:

1. Resfriado — Tai-Yang, In-Ian, IG4, Chien-Ou e Tay-Yang, usando técnica de "hiperemia", DM14 e na região intramuscular, usando a técnica de "equimose".
2. Cefaleia — DM14 com técnica de "equimose". Tay-Yang com técnica de "hiperemia".
3. Reumatismo — DM14, IG11, B40, DM4.
4. Asma — B11, DM12, Ren12, Ren6, mamilo, região dorsal e interescapular, usando técnica de "hiperemia".
5. Gastralgia — Ren12, E36, PC6, B20, B21.
6. Soluço — B11, B13, Ren12.
7. Disenteria — E25 do lado esquerdo e Ren3.
8. Vômito — E25, Ren6, Ren4, B20, BP6.
9. Dor abdominal — E25, Ren12, Ren6, e no local da dor usar técnica de "hiperemia".
10. Dor torácica — ponto local.
11. Lombalgia — B23, DM2, usar técnica de "hiperemia" e na região interescapular usar técnica de "equimose".
12. Ombro doloroso — DM14, DM12, B11, B13.
13. Dor no quadril — B23, UB30, BP10, nesses pontos usa-se técnica de "hiperemia". E do lado contralateral usa-se técnica de "equimose".
14. Impotência funcional do braço — B11, IG11, IG15.
15. Dor na perna — B40, B57, BP6.
16. Dismenorreia — R6, R3, R4, E25, B23, F3.
17. Leucorreia — R4, R6, BP6.
18. Inchaço no olho, conjuntivite: Tay-Yang.
19. Dor articular — membro superior: IG15, IG11, TA5, IG4 e local de dor. Membros inferiores: B30, E36, VB39 e local de dor. Lombalgia: DM14, B23, DM4, B40.
20. Torção articular — local da lesão.

CAPÍTULO 10

Princípios de Tratamento

Conceitos gerais

Neste capítulo, procuraremos colocar em prática os conhecimentos já apresentados. Sabemos que, ao iniciar um tratamento de Acupuntura, deve-se considerar primeiramente o estado geral do paciente e o grau de gravidade de sua doença para se chegar a um diagnóstico preciso. No entanto, antes de se começar as aplicações, há uma série de dados importantes que devem ser levados em conta.

1. Inicia-se o tratamento usando o melhor, o mais eficiente e o mais prático de todos os métodos já conhecidos no seio da medicina.
2. É aconselhável que o estado psíquico do paciente seja bom; para isso deve-se tentar mantê-lo psicologicamente calmo. Em caso de extrema agitação do paciente, deve-se observar seu estado geral, verificando o nível de pressão, a pulsação e temperatura etc. para que se possa iniciar o tratamento.
    Exceto em casos de extrema necessidade, evita-se o uso da Acupuntura em pacientes que apresentem estado de agitação, embriaguez, excesso de fome, sede e sudorese.
3. Com exceção dos casos de emergência, não se deve utilizar muitos pontos na mesma região (procurar não ultrapassar doze pontos).
4. As doenças crônicas são geralmente tratadas com aplicações em dias consecutivos ou intercalados, isto é, com um dia de descanso entre duas aplicações. Depois de uma série de aplicações, faz-se um intervalo de três a cinco dias para se observar a evolução da doença. E, se necessário, deve-se fazer novas aplicações.

Princípio de seleção dos pontos

De acordo com a gravidade e a evolução da doença, selecionamos determinados pontos. Às vezes, eliminando diretamente os focos de origem da doença, chega-se a um tratamento eficiente. Outras vezes, atinge-se esse mesmo fim cuidando-se primeiro dos sintomas mais graves. No entanto, há tratamentos em que se busca atacar ao mesmo tempo as causas e os efeitos das afecções.

Num paciente que apresente, concomitantemente, vários tipos de doenças, torna-se difícil saber qual delas é a mais grave. Nesse caso, procura-se um tratamento de âmbito geral, escolhendo pontos que tratem todas as afecções apresentadas.

Outro aspecto importante na escolha dos pontos é sua localização no corpo. Deve-se escolher posições que não causem grande desconforto ao doente, principalmente nos que apresentam certa dificuldade de movimentos.

Evitam-se regiões onde haja cicatrizes, tumores ou por onde corram grandes vasos sanguíneos.

É muito importante haver uma rotatividade no uso dos pontos, visto que há uma diminuição nos efeitos desejados em regiões utilizadas repetidamente.

Na primeira aplicação, deve-se escolher pontos menos dolorosos para se evitar um efeito traumatizante, deixando-se a utilização dos pontos mais "fortes" para quando o doente estiver mais acostumado às agulhas.

Métodos de combinação dos pontos

Os antigos livros trazem inúmeros métodos de seleção e combinação de pontos. Com novos conhecimentos na área da Acupuntura, mais as práticas adquiridas com o tratamento de pacientes, chegamos aos seguintes métodos mais utilizados:

1. Pontos próximos à área da doença

Escolhemos os pontos próximos à área da doença (local de origem), além dos pontos próximos a locais de manifestação da doença. Esse método é utilizado principalmente nas afecções locomotoras.

A. *Pontos locais*: aplica-se diretamente nos pontos localizados na área das afecções. Por exemplo: doenças dos olhos — Jingming B1, lombalgia — Shenshu (B23); artrite — pontos ao redor da articulação.

B. *Pontos ao redor da manifestação da doença*: por exemplo, doenças dos olhos — Sibai (E2), Yangbai (VB14); dor no peito — Zhongfu (P1), Jiuwei (RM15); cãibra na panturrilha — Weizhong (B54), Kunlun (B60).

2. Pontos reflexos distantes localizados em diversas regiões

A. Com base em experiências, conclui-se que todos os órgãos ou regiões possuem pontos que lhes são extremamente sensíveis. (Observar o Esquema 1.)
B. Para diversas doenças, há pontos específicos, sendo que esses pontos localizam-se em porções distantes. (Observar o Esquema 2.)
C. Escolha dos pontos através dos meridianos

De acordo com a Teoria dos Meridianos, os distúrbios de um meridiano devem ser tratados usando-se seus próprios pontos. Assim, depois do diagnóstico, verifica-se qual o meridiano principal no quadro da doença e selecionam-se os pontos a serem utilizados. Existem vários princípios, sendo que os mais usados são:

Esquema 1
Os pontos selecionados pela área da doença

Área da doença	Pontos locais ao redor	Pontos distais	
		Membro Sup.	Membro Inf.
Testa	Yin-Tang (Ext5), Yangbai(VB14)	Hegu(IG4)	
Rosto e Bochecha	Ditsang (E4), Jiache(E6)	Hegu(IG4)	Neiting (E44)
Olhos	Jingming(B1), Chengoi (E1), Sibai(E2), Yangbai (VB14)	Yanglao (ID6)	Guangming (VB37)
Nariz	Yingxiang(IG20), Zanzhu (B2)	Hegu(IG4)	Zusanli (E36)
Pescoço e Garganta	Lianquan(RM23) Tiantu(RM22)	Lieque (P7)	Zhaohai (R6)
Peito	Shangzhong(RM17).Os pon– tos paraespinhosos D1/D7.	Kongzui (P6)	Fenglong (E40)
Abdômen superior	Guanyuan(RM4). Os pontos paraespinhosos D9/D12.	Neiguan (PC6)	Sanyinjiao (BP6)
Abdômen inferior	Guanyuan(RM4). Os pontos paraespinhosos L2/S4.		Zusanli (E36)
Região temporal	Tai-Yang(Ext12) Shuaigu(VB8)	Waiguan (TA5)	Linqi (do pé) (VB41)

Ouvidos	Tinghui(VB2) Tinggong(ID19) Yifeng(TA17)	Zongzhu (TA3)	Xiaxi (VB43)
Costa dorsal e reborda costal	Quimen(F14) Ganshu(B18)	Zhigou (TA6)	Yanglingquan (VB34)
Região occipital e nuca	Fengchi(VB20) Tianzhu(B10)	Houxi (ID3)	Shugu (B65)
Região dorso–lombar(D1/D7)	Pishu(B20), Fershu(B13)		Kunlun (B60)
Região dorso–lombar D8/L2	Ganshu(B18) Weishu(B21)		Weizhong (B54)
Região dorso–lombar L2/S4	Shenshu(B23) Dachangshu(B25)		Yinmen(B37)
Ânus	Changquiang(DM1), Baihuanshu(B30)		Chengshan (B57)
Ombros	Jianyu(IG15), Jianzhen(ID9)		Quchi(IG11)
Cotovelos	Quchi(IG11) Shousanli(IG10) Waiguan(TA5)		
Pulsos	Hegu(IG4), Houxi(ID3)		
Quadril	Huantiao(VB30), pontos do lado dos (L4/L5)		Yanglingquan (VB34)
Joelhos	Dubi(E35), Yanglingquan(VB34)		
Tornozelos	Jiexi(E41), Qiuxu(VB40) Taixi(R3)		

1) Aplicações dos pontos máximos e distais dos focos patológicos no mesmo meridiano.

Os pontos do próprio meridiano que, afetado, pode ser escolhido para o tratamento. Pela experiência clínica, constatou-se que os pontos do meridiano acoplado também podem ser utilizados.

Os pontos próximos ao foco patológico são mais usados para os problemas locomotores, superficiais ou agudos. E os distais são mais usados para doenças dos órgãos, profundas ou crônicas. Também pode-se fazer um tratamento combinado em que são utilizados todos os pontos específicos, próximos ou distais.

Esquema 2
Os pontos específicos para diversos sintomas

Doenças	Os pontos
Febre	Dazhui (DM14), Quchi (IG11), Hegu (IG4), Tai-Yang (Ext12), Shaoshang (P11).
Choque	Baihui (DM20), Shangzhong (RM17), Guanyuan (RM4) (para fazer moxa), Zusanli (E36) (para agulhar).
Coma	Renzhong (DM26), Shi-Chi-Zui-Xia (Ext72).
Sudorese	Hegu (IG4), Fuliu (R7), Jingqu (P8).
Sudorese noturna	Houxi (ID3).
Insônia	Shenmen (C7), Sanyinjiao (BP6), Taixi (R3).
Tendência ao sonho	Xinshu (B15), Shenmen (C7), Taichong (F3), moxa, Dadun (F1).
Rouquidão	Shuitu (E10), Hegu (IG4), Jianshi (PC5).
Disfagia	Tiantu (RM22), Neiguan (PC6), Hegu (IG4).
Náusea e vômitos	Neiguan (PC6), Zusanli (E36).
Distensão abdominal	Tianshi (E25), Qihai (RM6), Neiguan (PC6), Zusanli (E36).
Dor na região axilar	Zhigou (TA6).
Prurido	Quchi (IG11), Xuehai (BP10), Sanyinjiao (BP6).
Dispepsia	Zusanli (E36), Gongsun (BP4).
Incontinência urinária	Qugu (RM2), Sanyinjiao (BP6).
Cãibra na panturrilha	Chengshan (B57).
Obstipação	Tianshi (E25), Zhigou (TA6), Zhaohai (R6).
Prolapso anal	Changquiang (DM1), Chengshan (B57), Baihui (DM20), para moxibustão.
Palpitação arrítmica	Neiguan (PC6), Ximen (PC4).
Precordialgia	Shangzhong (RM17), Neiguan (PC6).
Tosse	Tiantu (RM22), Lieque (P7), Chize (P5).
Fraqueza e caquexia	Guanyuan (RM4), para moxibustão.
Retenção urinária	Sanyinjiao (BP6), Yinlingquan (BP9).
Impotência ou ejaculação precoce	Guanyuan (RM4), Sanyinjiao (BP6).

Por exemplo: na dor de estômago, usam-se os pontos do meridiano do estômago na região epigástrica, Buron (E19); Liangmen (E21); ou os distais, Zusanli (E36); Jiexi (E41). Também pode-se usar os pontos do meridiano do baço-pâncreas, Sanyinjiao (BP6) ou Gungsun (BP4).

2) Aplicação nos pontos do meridiano conexo.

Por exemplo: a nevralgia intercostal é um problema do meridiano da vesícula biliar que recebe energia do meridiano do triplo-aquecedor. Por isso, se usarmos o ponto Zhigou (TA6) teremos bons resultados. Em caso de dor na sola do pé (calcanhar), aplica-se no ponto Daling (PC7). (Observar o Esquema 3.)

Esquema 3
Os pontos específicos do meridiano conexo de certas doenças

Doenças	Meridiano a que pertence	Meridiano conexo	Ponto específico
Dor de garganta	Pulmão	Intestino grosso	Hegu (IG4)
Dor de dente	Estômago	Intestino grosso	Hegu (IG4)
Estomatite	Baço-pâncreas	Coração	Tungli (C5)
Tontura	Fígado	Vesícula biliar	Yangfu (VB38)
Insônia	Coração	Baço-pâncreas	Sanyinjiao (BP6)
Dor de estômago	Estômago	Baço-pâncreas	Gungsun (BP4)
Dor no intestino grosso	Intestino grosso	Estômago	Zusanli (E36)
Distensão abdominal	Baço-pâncreas	Estômago	Zusanli (E36)
Dor no ombro (bursite)	Intestino grosso	Estômago	Tiaokou (E38)
Dor no ombro (bursite)	Intestino delgado	Bexiga	Feiyang (B58)
Dor no ombro (bursite)	Triplo–aquecedor	Vesícula biliar	Yanglinquan (VB34)
Dor na perna	Estômago	Intestino grosso	Wenlu (IG7)
Dor no joelho	Estômago	Intestino grosso	Shousanli (IG10)
Dor na barriga da perna	Bexiga	Intestino delgado	Zhizheng (ID7)
Dor no calcanhar	Bexiga	Intestino delgado	Wangu (ID4)
Dor na coxa	Vesícula biliar	Triplo-aquecedor	Waiguan (TA5)
Lombalgia	Bexiga	Intestino delgado	Houxi (ID3)
Dor na sola do pé (calcanhar)	Rins	Pericárdio	Daling (PC7)
Dor na axila	Vesícula biliar	Triplo-aquecedor	Zhigou (TA6)

3) Aplicações dos meridianos da mesma natureza de Yin-Yang.

Baseando-se na Teoria dos Meridianos, os doze meridianos ordinários são divididos em seis pares com natureza de Yin-Yang. Por exemplo, o meridiano do intestino grosso é Yangmin da mão e tem relação com Yangmin da perna, o meridiano do estômago. Assim, para se tratar um meridiano afetado, pode-se escolher os pontos do meridiano pertencente à mesma natureza Yin-Yang.

D. Aplicação dos pontos dos cinco Shu

Os pontos dos cinco Shu são cinco pontos específicos para cada meridiano que se situa distalmente dos cotovelos ou joelhos. São eles: Jin, Ying, Shu, Jing e Ho. Esses cinco pontos são comparados ao volume do fluxo da água. Assim, Jin em chinês significa poço, Ying córrego, Shu ribeirão, Jing rio e Ho estuário. Esses conceitos são utilizados para se comparar os vários níveis energéticos desses pontos. Consequentemente, suas funções também serão diferentes.

De acordo com o livro *Nan-Jing*, o ponto Jin trata de doenças que apresentam opressão epigástrica. O ponto Shu trata das dores ou sensação de peso nas articulações. O ponto Jing trata de dispneia, tosse, calafrios e febre; e o ponto Ho trata de diarreia. Abaixo citaremos alguns exemplos:

– No caso de resfriados, as dores dos membros são devidas a alterações do meridiano do pulmão. Para o tratamento, usa-se o ponto Shu do meridiano do pulmão, que é Taiyuan (P9).

– As sensações de peso nos membros devidas à indigestão estão ligadas ao meridiano do baço-pâncreas; usa-se então o ponto Taipai (BP3).

– Se o paciente apresentar diarreia por depleção energética do meridiano baço-pâncreas, usa-se o ponto Shu, Yinlingquan (BP9).

– No caso de diarreia por colite aguda, usa-se o ponto Ho do meridiano do intestino grosso, Quchi (IG11) e o ponto Ho inferior do mesmo meridiano, Shangjuxu (E37).

Pelas experiências clínicas da Acupuntura, os efeitos específicos dos pontos Shu são:

– O ponto Ying é usado para tratar a face aguda das doenças que apresentam febre.

– O ponto Shu é usado para nevralgia intermitente ou para processos inflamatórios crônicos.

- O ponto Jing regulariza o desequilíbrio da função dos meridianos.
- O ponto Ho regulariza as funções fisiológicas dos órgãos ou vísceras.

E. Aplicação dos pontos dos cinco elementos

Os pontos dos cinco Shu nos meridianos em suas relações com a Natureza são classificados segundo os cinco elementos. (Observar os Esquemas 4 e 5.)

Clinicamente, existem vários métodos de aplicação dos pontos dos cinco elementos. Os mais práticos são:

1) Aplicação nos pontos Mãe-Filho de um determinado meridiano.

Este método é mais usado no tratamento das doenças de disfunção dos órgãos, mas também é aplicado para o desequilíbrio dos meridianos. Antes de se fazer a aplicação, é oportuno certificar-se se o distúrbio é proveniente dos órgãos ou do local, a que meridiano pertence a região afetada e qual a condição energética deste.

Esquema 4 — Os pontos dos cinco elementos dos meridianos de Yin

Meridianos	Jin (Madeira)	Yin (Fogo)	Shu (Terra)	Jing (Metal)	Ho (Água)
Pulmão Taiyin da mão	Shaoshang (P11)	Yuji (P10)	Taiyuan (P9)	Jingqu (P8)	Chize (P5)
Pericárdio Jueyin da mão	Zhongchong (PC9)	Laogong (PC8)	Daling (PC7)	Jianshi (PC5)	Quze (PC3)
Coração Shaoyin da mão	Shaochong (C9)	Shaofu (C8)	Shenmen (C7)	Lingdao (C4)	Shaohai (C3)
Baço-pâncreas Taiyin da perna	Yinbai (BP1)	Dadu (BP2)	Taipai (BP3)	Shangqiu (BP5)	Yinlingquan (BP9)
Fígado Jueyin da perna	Dadun (F1)	Xingjian (F2)	Taichong (F3)	Zhongfeng (F4)	Ququan (F8)
Rins Shaoyin da perna	Yongguan (R1)	Rangu (R2)	Taixi (R3)	Fuliu (R7)	Yingu (R10)

Esquema 5 — Os pontos dos cinco elementos dos meridianos Yang

Meridianos	Jin (Metal)	Ying (Água)	Shu (Madeira)	Jing (Fogo)	Ho (Terra)
Intestino grosso Yangmin da mão	Shangyang (IG1)	Erjian (IG2)	Sanjian (IG3)	Yangxi (IG5)	Quchi (IG11)
Triplo-aquecedor Shaoyang da mão	Guanchung (TA1)	Yemen (TA2)	Zongzhu (TA3)	Zhigou (TA6)	Tianjing (TA10)

Intestino delgado Taiyang da mão	Shaoze (ID1)	Quiangu (ID2)	Houxi (ID3)	Yanggu (ID5)	Xiaohai (ID8)
Estômago Yangmin da perna	Lidui (E45)	Neiting (E44)	Xiangu (E43)	Jiexi (E41)	Zusanli (E36)
Vesícula biliar Shaoyang da perna	Qiaoyin (VB44)	Xiaxi (VB43)	Linqi (VB41)	Yangfu (VB38)	Yanglingquan (VB34)
Bexiga Taiyang da perna	Zhiyin (B67)	Tonggu (B66)	Shugu (B65)	Kunlun (B60)	Weizhong (B54)

Se o caso for de excesso de energia, deve-se dispersá-la utilizando o ponto Filho do meridiano. Já, em caso de depleção energética, a tonificação será efetuada pelo estímulo do ponto Mãe.

Por exemplo: um problema no meridiano do pulmão. Se houver excesso de energia, ela deverá ser dispersa através do ponto Filho Chize (P5); no caso de depleção de energia, será preciso tonificar o meridiano pelo ponto Mãe Taiyuan (P9).

Nesse tipo de tratamento, os pontos Mãe e Filho que se localizam no ponto Jin (ao lado das unhas), devem ser substituídos por outros. Em seguida, para dispersar energia, usa-se o ponto Yin e, para tonificar, o ponto Ho.

2) *Aplicação nos pontos Mãe e Filho dos meridianos Mãe e Filho afetados.*

O meridiano afetado pode ser regulado pela estimulação dos meridianos que têm relação de Mãe-Filho. Ter-se-á, por exemplo, um determinado meridiano.

Com base na teoria dos cinco elementos, estimula-se o ponto Mãe de seu meridiano Mãe, quando se pretende tonificá-lo. Ao contrário, se a intenção for dispersar seu excesso de energia, estimula-se o ponto Filho de seu meridiano Filho.

Por exemplo: no caso de um distúrbio no meridiano do pulmão (Metal), se este apresentar um excesso de energia, ela deverá ser dispersada estimulando-se o ponto Filho do meridiano dos rins (de natureza Água). Mas, se houver depleção de energia, será preciso tonificá-lo por meio do estímulo do ponto Mãe do meridiano baço-pâncreas (de natureza Terra).

Geralmente usa-se esse método para auxiliar o processo de tratamento quando o resultado desejado não foi atingido pelo método 1.

3) *Aplicação dos métodos de alterações nos cinco elementos.*

Este método foi citado pela primeira vez no livro *Hwang Ti Nei Jing*.

Por meio dele, pode-se regularizar um determinado meridiano usando-se os pontos de origem de dois outros meridianos.

Por exemplo: em relação aos cinco elementos, a natureza do meridiano da vesícula biliar é de Madeira. O ponto de origem do elemento Madeira é o Linqi (VB41). O meridiano do baço-pâncreas é de natureza Terra e o ponto de origem do elemento Terra é o ponto Taipai (BP3).

Com a estimulação desses dois pontos, obtém-se um efeito equivalente ao estímulo dos meridianos do baço-pâncreas e do estômago, que são de natureza Terra. Este método é usado para tonificar os meridianos do pulmão e do intestino grosso e para dispersar o excesso de energia dos meridianos do coração e intestino delgado (que é de natureza Fogo). (Observar o Esquema 6.)

Esquema 6 — O método das alterações nos cinco elementos

Os meridianos afetados	Pontos a serem tratados	
	Em excesso de energia	Em depleção de energia
Fígado e vesícula biliar	Zusanli (E36) Yingu (R10)	Hegu (IG4) Jingqu (P8)
Coração e intestino delgado	Linqi (VB41) Taipai (BP3)	Shaofu (C8) Tonggu (B66)
Baço-pâncreas e estômago	Xingjian (F2) Erjian (IG2)	Zusanli (E36) Yingu (R10)
Pulmão e intestino grosso	Hegu (IG4) Jingqu (P8)	Linqi (VB41) Taipai (BP3)
Rins Bexiga	Shaofu (C8) Tonggu (B66)	Ququan (F8) Quchi (IG11)

F. Aplicação dos pontos entre os meridianos superficiais e profundos (os meridianos que se acoplam)

Os meridianos que estão acoplados na relação superficial-profundo possuem a seguinte característica: os pontos de um podem ser utilizados no tratamento das doenças do outro. Há dois tipos de aplicação:

1) Quando um meridiano apresenta algum distúrbio de energia, esse problema pode ser resolvido pela regularização do meridiano a ele acoplado, na relação superficial-profundo. Por isso, os pontos Mãe-Filho podem ser igualmente eficientes quando aplicados em meridianos que possuem a relação superficial-profundo.

Por exemplo: o meridiano dos rins e o da bexiga apresentam-se relacionados pelo binômio superficial-profundo:

– No caso de excesso de energia no meridiano dos rins, pode-se estimular o ponto Filho do meridiano da bexiga, Shugu (B65). No caso de depleção de energia do meridiano da bexiga, pode-se estimular o ponto Mãe do meridiano dos rins, Fuliu (R7).

2) Aplicação dos pontos Yuan e Lo.

Na língua chinesa, Yuan significa origem e Lo, conexão. Os pontos Yuan e Lo têm indicações específicas, podendo ser utilizados individualmente.

Os pontos Yuan são indicados para normalizar as funções fisiológicas dos órgãos, servindo para melhorar-lhes o metabolismo. Por exemplo: quando os pulmões apresentam algum problema, usa-se o ponto Yuan do meridiano do pulmão, Taiyuan (P9). Já no caso de disfunção do fígado, utiliza-se o ponto Yuan do meridiano do fígado Taichong (F3).

Os pontos Lo são pontos de conexão de dois meridianos, especialmente os acoplados. Assim, o estímulo desses pontos servirá para o tratamento de ambos os meridianos. Por exemplo: estimulando o ponto Lo do meridiano do baço-pâncreas, Gungsun (BP4), podemos tratar os problemas do meridiano do baço-pâncreas, como também do meridiano do estômago.

Além dos doze meridianos ordinários e dos meridianos Ren-Mai e Du-Mai, que possuem cada um seu próprio ponto Lo, o meridiano do baço-pâncreas tem um ponto Lo extra, o Grande Lo. Com isso temos um total de quinze pontos Lo.

No tratamento de doenças crônicas ou nos estados de profundas alterações no meridiano, utilizam-se concomitantemente os pontos Lo e Yuan dos meridianos acoplados, na relação superficial-profundo. Nesse caso usa-se o ponto Yuan do meridiano que apresente distúrbios e o ponto Lo do meridiano a ele acoplado. (Observar o Esquema 7.)

G. Aplicação dos pontos Shu e Mu

Os pontos Shu são os pontos específicos no dorso do corpo, relacionados com diversos órgãos ou vísceras. Os pontos Mu são os pontos reflexos na região frontal do corpo. Nos distúrbios de órgãos ou vísceras é muito indicada a aplicação de agulhas nesses pontos. No entanto, recomenda-se extremo cuidado visto que estão localizados em zonas vitais do corpo.

De acordo com as experiências clínicas, os princípios que regem a escolha dos pontos Shu ou Mu são:

– em doenças agudas, frequentemente acompanhadas por febre, usam-se os pontos Shu;

Esquema 7
Os pontos Yuan dos meridianos afetados e Lo dos meridianos acoplados

Meridianos afetados	Ponto Yuan	Ponto Lo acoplado
Pulmão	Taiyuan (P9)	Pienli (IG6)
Intestino grosso	Hegu (IG4)	Lieque (PC7)
Estômago	Chongyang (E42)	Gungsun (BP4)
Baço-pâncreas	Taipai (BP3)	Fenglong (E40)
Coração	Shenmen (C7)	Zhizheng (ID7)
Intestino delgado	Wangu (ID4)	Tungli (C5)
Bexiga	Jinggu (B64)	Dazhong (R4)
Rins	Taixi (R3)	Feiyang (B58)
Pericárdio	Daling (PC7)	Waiguan (TA5)
Triplo-aquecedor	Yangchi (TA4)	Neiguan (PC6)
Vesícula biliar	Qiuxu (VB40)	Ligou (F5)
Fígado	Taichong (F3)	Guangming (VB37)

Observação: o meridiano do baço-pâncreas tem outro Grande Lo.
Dabao (BP21).
O ponto Lo de Ren-Mai é Jiuwei (RM15).
O ponto Lo de Du-Mai é Changquiang (DM1).

Esquema 8
Os pontos Shu no dorso e Mu na frontal dos órgãos e vísceras

Órgãos e vísceras	Ponto de Shu	Ponto de Mu
Pulmão	Feishu (B13)	Zhongfu (P1)
Pericárdio	Jueyinshu (B14)	Shangzhong (RM17)
Coração	Xinshu (B15)	Jujue (RM14)
Fígado	Ganshu (B18)	Quimen (F14)
Vesícula biliar	Danshu (B19)	Riyue (VB24)
Baço-pâncreas	Pishu (B20)	Zhangmen (F13)
Estômago	Weishu (B21)	Zhongwan (RM12)
Sanjiao	Sanjiaoshu (B22)	Shimen (RM5)
Rins	Shenshu (B23)	Jingmen (VB25)
Intestino grosso	Dachangshu (B25)	Tianshi (E25)
Intestino delgado	Xiaochanshu (B27)	Guanyuan (RM4)
Bexiga	Pangguangshu (B28)	Zhongji (RM3)

— em doenças crônicas, usam-se os pontos Mu;
— em excesso energético, usam-se os pontos Shu;
— em depleção energética, usam-se os pontos Mu;

– em estado avançado da doença, pode-se usar concomitantemente os pontos Shu e Mu. Nesse caso, usam-se primeiro os pontos Shu do dorso e, posteriormente, os pontos Mu da região frontal.

Além de tratar os problemas dos órgãos e vísceras, esses pontos também são indicados nos distúrbios dos órgãos sensoriais relacionados com os órgãos. (Observar o Esquema 8.)

H. Aplicação dos pontos Ho inferiores

Os pontos Ho inferiores são pontos reflexos que se localizam nas pernas. Esses pontos devem ser escolhidos para o tratamento de distúrbios agudos e para a normalização das funções das vísceras. (Observar o Esquema 9.)

Esquema 9
Os pontos Ho nos membros inferiores dos seis Fu (vísceras)

Os meridianos	Órgãos de Fu	Ponto Ho inferior
Yangmin da perna	Estômago	Zusanli (E36)
	Intestino grosso	Shangjuxu (E37)
	Intestino delgado	Xiajuxu (E39)
Shaoyang da perna	Vesícula biliar	Yanglingquan (VB34)
Taiyang da perna	Bexiga	Weizhong (B54)
	Triplo-aquecedor	Weiyang (B39)

Esquema 10
Os pontos Xi

Os meridianos	Ponto Xi
Pulmão de Taiyin da mão	Kongzui (P6)
Pericárdio de Jueyin da mão	Ximen (PC4)
Coração de Shaoyin da mão	Yinxi (C6)
Intestino grosso de Yangmin da mão	Wenlu (IG7)
Triplo-aquecedor de Shaoyang da mão	Huizong (TA7)
Intestino delgado de Taiyang da mão	Yanglao (ID6)
Estômago de Yangmin da perna	Liangqiu (E34)
Vesícula biliar de Shaoyang da perna	Waiqiu (VB36)
Bexiga de Taiyang da perna	Jinmen (B63)
Baço-pâncreas de Taiyin da perna	Diji (BP8)
Fígado de Jueyin da perna	Zhongdu(F6)
Rins de Shaoyin da perna	Shuiguan (R5)
Yangqiao	Fuyang (B59)
Yinqiao	Jiaoxin (R8)
Yangwei	Yangjiao (VB35)
Yinwei	Zhubin (R9)

1. Aplicação dos pontos Xi

Xi em língua chinesa significa "espaço". É o local onde há acúmulo de energia quando os meridianos estão com distúrbios energéticos e os órgãos que lhes são correspondentes apresentam problemas agudos. Por isso, esses pontos são indicados nas doenças graves, principalmente as de natureza infecciosa.

Os meridianos dos doze Ordinários e dos quatro Extraordinários possuem, cada um, o próprio ponto Xi que se localiza nos membros distais dos cotovelos e joelhos. Ao todo, há dezesseis pontos Xi. (Observar o Esquema 10.)

J. Aplicação dos pontos Huei (influência)

Huei significa "ficar junto". É o local de acúmulo de energia que liga os órgãos e tecidos do corpo.

No tratamento clínico das doenças agudas, sempre combinamos os pontos Huei com os Xi. Por exemplo: nos casos de bronquite, usa-se o ponto Xi do Meridiano do pulmão Kongzui (P6) combinado com o ponto Huei do Qi (respiratório), Shangzhong (RM17). Para espasmo no estômago, usa-se o ponto Xi do meridiano do estômago, Liangqiu (E34) e o ponto Huei das vísceras, Zhongwan (RM12). (Observar o Esquema 11.)

Esquema 11
Os oito pontos de Huei (influência)

Órgão ou Tecidos	Ponto de influência
Órgãos de Zang (órgãos)	Zhangmen (F13)
Órgãos de Fu (vísceras)	Zhongwan (RM12)
Qi (respiratório)	Shangzhong (RM17)
Sangue	Geshu (B17)
Tendão	Yanglingquan (VB34)
Vascular	Taiyuan (P9)
Osso	Dashu (B11)
Medula	Xuangzhong (VB39)

As experiências em tratamentos nos documentos históricos

A Acupuntura teve, através de sua evolução histórica, várias gerações de terapeutas famosos, que legaram seus conhecimentos e experiências à posteridade, na forma de poesias. Em sua linguagem simples e direta, essas poesias versavam sobre o diagnóstico e o tratamento das doenças, descrevendo seus sintomas e indicando os pontos de aplicação das agulhas. Esses pontos são numericamente poucos, mas têm um comprovado valor terapêutico. Portanto, esses textos podem ser um guia seguro para aqueles que se iniciam na ciência da Acupuntura.

Abaixo apresentamos algumas dessas poesias, cuja tradução literal é impossível por não existir uma correspondência entre a terminologia médica oriental e a ocidental.

1. *Piao Yu Pu*

A. *Região da cabeça, face e órgãos dos sentidos:*
- Cefaleia: Shenmai (B62), Jinmen (B63).
- Dor nos olhos e coceira nos olhos: Diwuhui (VB42), Guangming (VB37).
- Diminuição da visão: Ganshu (B18), Mingmen (DM4).
- Surdez: Tinghui (VB2), Yangchi (TA4).
- Dor na laringe: Taichong (F3).
- Obstrução da laringe: Zhaohai (R6).

B. *Região do tórax e do abdômen:*
- Opressão no peito: Taichong (F3).
- Gastralgia (em Síndrome do Frio de baço-pâncreas): Gungsun (BP4).
- Opressão no peito e nos órgãos do abdômen: Neiguan (PC6).
- Dor axilar e intercostal: Zhigou (TA6).

C. *Os membros:*
- Dor óssea e espasmo tendinoso: Yanggang (B47).
- Hemiplegia por A.V.C.: Huantiao (VB30).
- Dor braquial: Jianjing (VB21), Quchi (IG11).
- Dificuldade de locomoção: Xuangzhong (VB39), Huantiao (VB30).

D. *Ginecologia, obstetrícia e outros:*
- Tontura causada por hemorragia: Sanyinjiao (BP6), Yangchi (TA4).
- Perda da bolsa amniótica: Zhaohai (R6), Waiguan (TA5).
- Retardamento mental: Dazhong (R4).
- Tuberculose pulmonar: Pohu (B41).
- Prostração: Tianshi (E25).
- Sudorese noturna: Yinxi (C6).
- Ascite: Pienli (IG6).

2. *Xi Hun Fu*

A. Distúrbio dos órgãos dos sentidos:

- Enxaquecas: Lieque (P7), Taiyuan (P9).
- Surdez: Tinghui (VB2), Yingxiang (IG20).
- Surdez causada pela gripe: Tinghui (VB2), Jinmen (B63).
- Zumbido por depressão do rim: Zusanli (E36), Diwuhui (VB42).
- Distúrbio na vista: Guangming (VB37), Hegu (IG4), Jingming (B1), Yu-Yao (Ext8).
- Dor de dentes e edema na laringe: Erjian (IG2), Yangxi (IG5).
- Dor na garganta: Baihui (DM20), Taichong (F3), Zhaohai (R6), Sanyinjiao (BP6), Tiantu (RM22).

B. Região do tórax e abdômen:

- Mastalgia: Taiyuan (P9), Lieque (P7).
- Dispneia: Zusanli (E36).
- Tosse com Síndrome do Frio (ausência de estado febril e muita secreção): Hegu (IG4), tonifica: Sanyinjiao (BP6), dispersa.
- Distensão gástrica: Xuanji (RM21), Zusanli (E36).
- Dor no coração: Yinlingquan (BP9), Chengshan (B57).
- Vômitos e dor estomacal: Fengchu (DM16), Shangwan (RM13).
- Má-digestão acompanhada de secreção e peso no estômago: Shousanli (IG10), Zusanli (E36).
- Flatulência: Dashu (B11), Changquiang (DM1).
- Soluço: moxa no Qihai (RM6).
- Dor no coração na mulher: Xinshu (B15).
- Dor abdominal no homem: Zusanli (E36).
- Prolapso retal infantil: Baihui (DM20), moxa no Jiuwei (RM15).

C. Região dorsal e lombar:

- Lombalgia: Weizhong (B54).
- Lombalgia acompanhada de formigamento no pé: Weizhong (B54), Cheng-shan (B57).
- Lombalgia com irradiação para o quadril: Zusanli (E36).
- Dor escapular e dorsal por friagem: Zongzhu (TA3).
- Sensação de cansaço no ombro e dorso: Shenshu (B23), Sanjian (IG3).
- Dor migratória na perna: Huantiao (VB30), Jizhong (DM6).

D. Membros:

- Cervicobraquialgia: Hegu (IG4), Taichong (F3).
- Dor e formigamento na mão: Quchi (IG11), Hegu (IG4).
- Tremor na mão e dor no coração: Shaohai (C3), Yinshi (E33).
- Dor no cotovelo: Chize (P5), Taiyuan (P9).
- Edema no pé e no joelho: Zhiyin (B67).
- Dor no joelho: moxa no Yanglingquan (VB34).
- Dor no pé e edema no joelho: Zusanli (E36), Xuangzhong (VB39), Yinlingquan (BP9), Sanyinjiao (BP6).
- Formigamento nos dedos: Taichong (F3).
- Torção da perna: Chengshan (B57), Kunlun (B60).
- Dor no quadril e na perna: Zusanli (E36).
- Dor no ombro e no umbigo: Zusanli (E36).

E. Outras doenças:

- Epilepsia: Jiuwei (RM15), Yongguan (R1).
- Uretrite: Qihai (RM6), Zusanli (E36).
- Incontinência urinária: Guanyuan (RM4).
- Obstipação intestinal: moxa no Dadun (F1).
- Distensão na bexiga: Zusanli (E36).
- Distúrbio menstrual: Qihai (RM6), Guanyuan (RM4).
- Parto difícil: Rugen (E18).
- Edema: Shuiefen (RM9), Qihai (RM6).
- Gripe: Fengchu (DM16), Fengchi (VB20).
- Gripe sem sudorese: Jimen (BP11).
- Hemorroidas e dor abdominal: Ququan (F8), Zhaohai (R6), Sanyinjiao (BP6).

3. Yu Lung Fu

A. Região da cabeça, da face e dos órgãos dos sentidos:

- Cefaleia frontal: Shangxing (DM23), Shengting (DM24).
- Cefaleia e dor nos olhos: Zanzhu (B2), Touwei (E8).
- Distúrbio dos olhos: Jingming (B1), Tai-Yang (Ext12), Yu-Wei (Ext9).
- Congestão nos olhos: Shang-Ying-Hsiang (Ext17).
- Tonturas e congestão cerebral: Ganshu (B18).
- Conjuntivite: Tagukung (Ext79).
- Dor nos olhos: Tai-Yang (Ext12).

- Surdez e edema mandibular: Tinghui (VB2).
- Rinite: Shangxing (DM23).
- Obstrução nasal: Yingxiang (IG20).
- Paralisia facial: Ditsang (E4), Jiache (E6).
- Mau hálito: Daling (PC7), Renzhong (DM26).
- Dor de dentes: Erjian (IG2), Neiting (E44).
- Linfadenite e furunculose: Tianjing (TA10).

B. *Região cervical, dorsal e lombar:*

- Dor no ombro: Jianyu (IG15).
- Dorsalgia e dor no ombro: Wushu (VB27), Hua-Tuo-Jia-Ji-Xue (Ext70).
- Dor intraescapular: Shenzhu (DM12).
- Corcunda: Fengchi (VB20), Xuangzhong (VB39).
- Raquitismo torácico: Renzhong (DM26), Quchi (IG11).
- Lombalgia: Renzhong (DM26), Weizhong (M40).
- Lombalgia por depressão do meridiano dos rins: Xinshu (B15), Shenshu (B23).

C. *Região torácica e abdominal:*

- Dor no coração: Shangwan (RM13), Zhongwan (RM12).
- Opressão no peito: Laogong (PC8), Daling (PC7).
- Regurgitação estomacal: Zhong-Kuei (Ext80).
- Tumefação (ou intumescência) abdominal: Neiguan (PC6), Zhaohai (R6).
- Dor abdominal: Daling (PC7), Waiguan (TA5), Zhigou (TA6).
- Distensão abdominal: Neiting (E44), Linqi (do pé) (VB41).
- Ascite: Sanyinjiao (BP6), Shuiefen (RM9), Zusanli (E36).

D. *Os membros:*

- Diminuição do movimento do punho: Wangu (ID4).
- Hiperemia no braço e mão: Zongzhu (TA3), Yemen (TA2).
- Braquialgia: Jianjing (VB21).
- Dor no cotovelo: Chize (P5), Quchi (IG11).
- Tendinite aguda do cotovelo: Chize (P5).
- Edema e dor no joelho: Yanglingquan (VB34), Yinlingquan (BP9).
- Dor na perna causada por reumatismo: Huantiao (VB30), Juliao (VB29), Weizhong (B54).

- Dor acompanhada de sensação de peso na perna e no pé: Huantiao (VB30), Xiguan (F7), Jing-Xia (Ext101).
- Fraqueza na perna: Yinshi (E33), Fengshi (VB31).
- Dor no pé: Shangqiu (BPS), Jiexi (E41), Qiuxu (VB40).
- Inchaço nas pernas: Xuangzhong (VB39), Sanyinjiao (BP6), Zusanli (E36).
- Metatarsalgia: Zusanli (E36), Zhongfeng (F4), Taichong (F3).

E. Doenças respiratórias:

- Resfriado e gripe: Hegu (IG4), Fuliu (R7), Quimen (F14), Fengmen (B12), Taiyuan (P9), Lieque (P7), Fenglong (E40), Feishu (B13).
- Dorsalgia por tosse: Shenzhu (DM12).
- Asma e dispneia: Tiantu (RM22), Shangzhong (RM17).

F. Ginecologia e pediatria:

- Tumor da mama: Shaoze (ID1), Tongziliao (VB1).
- Leucorreia: Zhongshu (DM7).
- Epilepsia infantil: Yin-Tang (Ext5).

G. Fraqueza e cansaço:

- Fraqueza: Gaohuangshu (B43).
- Cansaço mental: Zhiyang (DM9).
- Fraqueza (por tuberculose pulmonar): Yongguan (R1), Guanyuan (RM4), Fenglong (E40).
- Sudorese: Bai-Lao (Ext27).
- Fraqueza no coração: Shaochong (C9).
- Estado assustadiço: Tungli (C5).
- Temor: Zusanli (E36).
- Insuficiência renal: Daimai (VB26), Guanyuan (RM4).
- Sonambulismo: Xinshu (B15), Shenshu (B23).

H. Distúrbio gastrointestinal, evacuação e hemorroidas:

- Hérnia inguinal: Dadun (F1), Quimen (F14).
- Secreção excessiva nos olhos: Mingmen (DM4), Shenshu (B23).
- Hemorroidas: Er-Bai (Ext84), Changquiang (DM1), Chengshan (B57).
- Diarreia por depressão do meridiano do baço-pâncreas: Tianshi (E25).
- Obstipação: Zhigou (TA6), Zhaohai (R6).
- Dor abdominal: Daling (PC7), Waiguan (TA5), Zhigou (TA6).

I. Outras doenças:

- Epilepsia: Jiuwei (RM15).
- Retardamento mental: Shenmen (C7).
- Malária: Jianshi (PC5), Houxi (ID3).
- Icterícia: Zhiyang (DM9), Wangu (ID4), Zhongwan (RM12).
- Furunculose: Laogong (PC8), Daling (PC7).

4. Pai Jen Fu

A. Região da cabeça, face e órgãos dos sentidos:

- Cefaleia: Baihui (DM20), Tianchong (VB9), Qiangjian (DM18), Fenglong (E40).
- Enxaqueca: Xuanlu (VB5), Hanyan (VB4).
- Edema na face: Renzhong (DM26), Chiending (DM21).
- Formigamento na face: Yingxiang (IG20).
- Vertigem: Zhizheng (ID7), Feiyang (B58).
- Vista cansada: Yanggang (B47), Danshu (B19).
- Pterígio: Shaoze (ID1), Ganshu (B18).
- Lacrimejamento: Linqi (VB41), Touwei (E8).
- Vista turva: Zanzhu (B2), Sanjian (IG3).
- Distúrbio da visão: Yanglao (ID6), Tianzhu (B10).
- Conjuntivite: Jingming (B1), Xingjian (F2).
- Surdez: Tinghui (VB2), Yifeng (TA17).
- Zumbido: Tinghui (VB2).
- Epistaxe: Tianfu (P3), Hegu (IG4).
- Falta de olfato: Tungtian (B7).
- Polipose nasal: Yinjiao (DM28).
- Paralisia facial: Jiache (E6), Ditsang (E4), Taichong (F3).
- Paratite: Yanggu (ID5), Xiaxi (VB43).
- Sensação de secura na boca: Fuliu (R7).
- Dor e edema sublingual: Lianquan (RM23), Zhongchong (PC9).
- Afasia: Yamen (DM15), Guanchung (TA1).
- Afonia: Tianding (IG17), Jianshi (PC5).
- Dor de dentes: Ermen (TA21), Chengjiang (RM24), Sizhukong (TA23).

B. Região do tórax, abdômen e orofaringe:

- Dor na faringe: Yemen (TA2), Yuji (P10).
- Opressão no peito: Jianli (RM11), Neiguan (PC6).

- Tristeza: Tinggong (ID19), Pishu (B20).
- Distensão torácica e axilar: Zhangmen (F13).
- Dor pleural: Shangzhong (RM17), Jujue (RM14).
- Peito cheio e sensação de obstrução: Zhongfu (P1), Yishe (B48).
- Torção axilar: Shenshu (B23), Juliao (E3).
- Peito cheio e tensão na nuca: Shentsang (R25), Xuanji (RM21).
- Nevralgia intercostal: Qihu (E13), Huagai (RM20).
- Edema na axila: Weiyang (B39), Tianchi (PC1).
- Meteorismo (intumescência causada por gases): Xiawan (RM10), Xiangu (E43).
- Ascite: Yinlingquan (BP9), Shuiefen (RM9).

C. Região da coluna vertebral e membros:

- Espasmo da coluna: Shuidao (E28), Jinsuo (DM8).
- Dorsalgia e lombalgia: Baihuanshu (B30), Weizhong (B54).
- Tensão cervical por Síndrome de Vento: Shugu (B65), Tianzhu (B10).
- Formigamento nos braços: Shaohai (C3), Shousanli (IG10).
- Hemiplegia: Yanglingquan (VB34), Quchi (IG11).
- Dor na perna: Houxi (ID3), Huantiao (VB30).
- Torção no tornozelo: Jinmen (B63), Qiuxu (VB40).

D. Ginecologia e pediatria:

- Distúrbio de menstruação: Diji (BP8), Xuehai (BP10).
- Dispneia e hemorragia: Jiaoxin (R8), Heyang (B55).
- Hemorragia pós-parto: Chongmen (BP12), Qichong (E30).
- Atraso menstrual: Tianshi (E25), Shuiguan (R5).
- Esterilidade: Sanyinjiao (BP6), Shiguan (R18).
- Dor abdominal no recém-nascido: Rangu (R2).
- Convulsão causada por febre, em crianças: Guanchung (TA1), Daheng (BP15).

E. Resfriado, gripe e febre:

- Tensão cervical por gripe: Wenlu (IG7), Quimen (F14).
- Tremor e frio: Erjian (IG2), Yinxi (C6).
- Malária: Shangyang (IG1), Taixi (R3).
- Calafrio: Yongguan (R1), Xialiao (B34).
- Estado febril sem sudorese: Dadu (BP2), Jingqu (P8).
- Febre: Shaochong (C9), Quchi (IG11).

- Tosse: Feishu (B13), Tiantu (RM22).
- Cansaço e sonolência: Tungli (C5), Dazhong (R4).
- Sudorese: Yinxi (C6), Houxi (ID3).

F. Hérnia, hemorroidas, distúrbios de micção e evacuação:
- Hérnia inguinal: Dadun (F1), Zhaohai (R6).
- Uretrite: Xiaohai (ID8), Duiduan (DM27).
- Espermatorreia: Sanyinjiao (BP6), Qihai (RM6).
- Uretrite crônica: Gaohuangshu (B42), Henggu (R11).
- Hemorroidas: Shangqiu (BP5).
- Prolapso retal: Baihui (DM20), Jiuwei (RM15), Waiqiu (VB36).
- Melena: Changquiang (DM1), Chengshan (B57).

G. Outras doenças:
- Comportamento maníaco: Houxi (ID3), Shangwan (RM13), Shenmen (C7), Shenzhu (DM12), Benshen (VB13).
- Convulsão: Shendao (DM11), Xinshu (B15).
- Icterícia: Houxi (ID3), Laogong (PC8).
- Gastrenterite por cólera: Yingu (R10), Zusanli (E36).
- Estado de ansiedade acompanhado de muitos sonhos: Lidui (E45), Yinbai (BP1).
- Dor e coceira pelo corpo: Zhiyin (B67), Wuyi (E15).
- Mastite: Jianjing (VB21).
- Anemia e sede: Shaoshang (P11), Quze (PC3).
- Indigestão: Pishu (B20), Pangguangshu (B28).

5. A poesia Tien-hsin mi jue

A. Distúrbios na cabeça, face e órgãos dos sentidos:
- Dor de dentes e de cabeça: Erjian (IG2), Zusanli (E36).
- Inchaço no rosto: Hegu (IG4), Neiting (E44).

B. Distúrbios na região torácica e abdominal:
- Indigestão: Xuanji (RM21), Chengshan (B57).
- Distensão abdominal e inchaço: Jianli (RM11), Shuiefen (RM9).
- Intumescência causada por gases: Hegu (IG4), Neiting (E44).
- Dor causada por flatulência intestinal: Changquiang (DM1), Dadun (F1).
- Dor no intestino delgado e no umbigo: Yinlingquan (BP9), Yongguan (R1).

C. Distúrbios nos membros:

- Dormência nos dedos da mão: Shaoshang (P11).
- Dor nos braços: Jianyu (IG15), Waiguan (TA5).
- Dor nas pernas: Huantiao (VB30), Yanglingquan (VB34).
- Torção da perna: Chengshan (B57), Shangqiu (BP5).
- Dor e inchaço nas pernas: Jianjing (VB21), Zusanli (E36) Yanglingquan (VB34).
- Pé equino por paralisia: Xuangzhong(VB39),Tiaokou (E38), Chongyang (E42).

D. Outras doenças:

- Gripe sem suor: Quimen (F14), Tungli (C5).
- Malária: Hegu (IG4), Neiting (E44).
- Zumbido e lombalgia: Diwuhui (VB42), Ermen (TA21), Zusanli (E36).
- Comportamento maníaco: Jianshi (PC5).

6. Poesia de Xi Hung

A. Distúrbios dos órgãos dos sentidos:

- Enxaqueca: Lieque (P7), Taiyuan (P9).
- Surdez: Tinghui (VB2), Yingxiang (IG20).
- Surdez por trauma: Tinghui (VB2), Jinmen (B63).
- Zumbido por depressão do meridiano dos rins: Zusanli (E36), Diwuhui (VB42).
- Distúrbio da vista: Jingming (B1), Guangming (VB37), Hegu (IG4).
- Vertigem: Chengshan (B57).
- Dor de dentes ou na laringe: Erjian (IG2); Yangxi (IG5).
- Dor aguda na orofaringe: Baihui (DM20), Taichong (F3), Zhaohai (R6), Sanyinjiao (BP6).

B. Distúrbios na região torácica e abdominal:

- Mastite: Taiyuan (P9), Lieque (P7).
- Asma por depressão de energia: Zusanli (E36).
- Tosse por friagem: tonificar Hegu (IG4) e dispersar Sanyinjiao (BP6).
- Má-digestão acompanhada de sensação de peso no estômago: Xuanji (RM21), Zusanli (E36).
- Dor abdominal: Neiguan (PC6), Gungsun (BP4).

- Dor precordial com sensação de aperto: Yinlingquan (BP9), Chengshan (B57).
- Vômito e gastralgia: Fengchu (DM16), Shangwan (RM13).
- Distensão e cólica intestinal: Dashu (B11), Changquiang (DM1).
- Cólica e dor periumbilical: Sanyinjiao (BP6), Yongguan (R1).
- Soluço: moxa no Qihai (RM6).
- Dor abdominal aguda: Zusanli (E36).
- Prolapso retal na criança: Baihui (DM20) e moxa no Jiuwei (RM15).

C. *Distúrbios na região dorsal e lombar:*

- Lombalgia: Weizhong (B54).
- Lombalgia com irradiação para o quadril acompanhada de necessidade urgente de evacuar: Zusanli (E36).
- Dorsalgia por gripe: Zongzhu (TA3).
- Dorsalgia aguda causada por tensão: Shenshu (B23), Sanjian (IG3).
- Dor ciática: Huantiao (VB30), Jizhong (DM6).

D. *Distúrbios nos membros:*

- Braquialgia: Hegu (IG4), Taichong (F3).
- Dor e dormência na mão: Quchi (IG11), Hegu (IG4).
- Dor no coração e tremor nas mãos: Shaohai (C3), Yinshi (E33).
- Dor no cotovelo: Chize (P5), Taiyuan (P9).
- Inchaço no joelho e no pé: Zhiyin (B67).
- Dor no joelho: moxa no Yanglingquan (VB34).
- Dor no pé e edema no joelho: Zusanli (E36), Xuangzhong (VB39), Yinlingquan (BP9), Sanyinjiao (BP6)
- Dormência nos dedos do pé: Taichong (F3).
- Cãibra na perna: Chengshan (B57), Kunlun (B60).
- Dor no quadril e perna: Zusanli (E36).

E. *Outras doenças:*

- Epilepsia: Jiuwei (RM15), Yongguan (R1).
- Incontinência urinária: Guanyuan (RM4).
- Constipação: moxa no Dadun (F1).
- Dor e distensão da bexiga: Zusanli (E36).
- Distúrbio menstrual: Qihai (RM6), Guanyuan (RM4).
- Parto difícil: Rugen (E18).
- Edema: Shuifen (RM9), Qihai (RM6).

- Gripe: Fengchu (DM16), Fengchi (VB20).
- Gripe sem suor: Quimen (F14).
- Hérnia e dor abdominal: Zhaohai (R6), Ququan (F8), Sanyinjiao (BP6).

Se pudermos aplicar com precisão os métodos acima expostos, certamente também poderemos traçar um plano para o tratamento das doenças. Assim como as outras ciências, a Acupuntura é dinâmica, apresentando sempre novidades e mudanças.

Esse constante desenvolvimento e renovação de ideias e técnicas torna o campo da aplicação da Acupuntura cada vez mais amplo e eficaz.

Os métodos acima mencionados não são os únicos. Tradicionalmente, na China, utiliza-se também o Tsu-u-liu-ju e o Lin-quei-ba-fa. Consistem estes em fórmulas que, utilizando somente pontos distais situados abaixo do cotovelo e joelhos, procuram relacioná-los aos diferentes horários do dia. Esses métodos baseiam-se na influência das ondas eletromagnéticas sobre o organismo humano.

Durante um período de sete anos, tentamos a aplicação dessas fórmulas, mas infelizmente os resultados obtidos no Brasil não foram tão eficazes como os na China. Os pormenores desses métodos não foram expostos neste livro.

A hipótese levantada é a de que isso seria causado pela inversão hemisférica.